C000213200

C'est l'agent d'Henning Mankell qui a découvert Ragnar Jónasson et vendu les droits de ses livres dans quinze pays. Né à Reykjavík, Jónasson a traduit plusieurs des romans d'Agatha Christie en islandais avant d'écrire ses propres enquêtes. Sa famille est originaire de Siglufjördur.

DU MÊME AUTEUR

Snjór
La Martinière, 2016
et « Points Policier », n° P4526

Mörk
La Martinière, 2017
et « Points Policier », n° P4757

Nátt
La Martinière, 2018
et « Points Policier », n° P4937

Sótt
La Martinière, 2018
et « Points Policier », , *n° 5054*

Vík
Une enquête à Siglufjördur
La Martinière, 2019

Ragnar Jónasson

LA DAME
DE REYKJAVÍK

ROMAN

Traduit de l'anglais, d'après l'islandais,
par Philippe Reilly

Éditions de La Martinière

Ce roman a été traduit depuis l'édition anglaise du livre
à la demande de l'auteur, qui a revu et changé
des éléments de son histoire et considère donc le texte anglais
comme la version définitive de son roman.

TEXTE INTÉGRAL

TITRE ORIGINAL
Dimma
ÉDITEUR ORIGINAL

Publié avec l'aimable autorisation de la Copenhagen Literary Agency
A/S, Copenhague

Traduction depuis l'édition anglaise
revue et corrigée par l'auteur : © Penguin, 2018

ISBN 978-2-7578-7809-5
(ISBN 978-2-7324-8841-7, 1re publication)

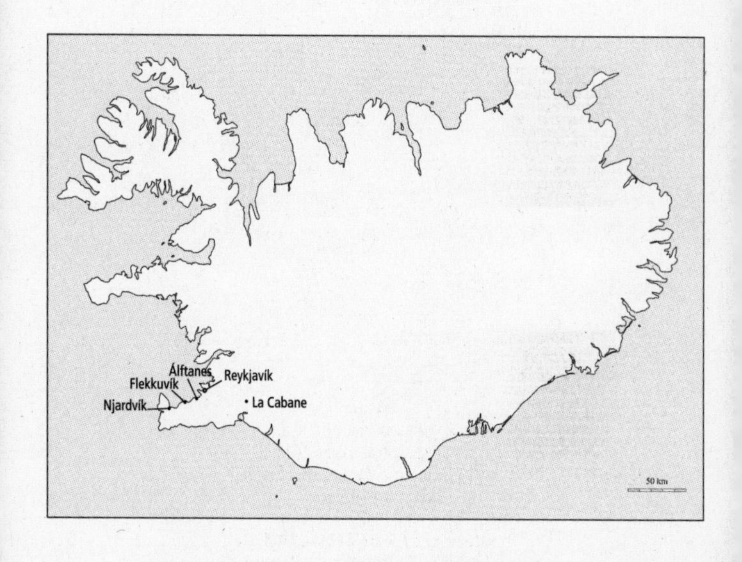
Álftanes
Reykjavík
Flekkuvík
Njardvík
La Cabane
50 km

À ma mère

« La colère, comme un éclair jaillit de l'enfer, brise les membres des hommes et attise un brasier démoniaque dans leurs yeux. »

Évêque Jón Vídalín

JOUR 1

1

– Comment m'avez-vous trouvée ? demanda la femme.

Sa voix tremblait. Son visage était livide.

L'inspectrice principale Hulda Hermannsdóttir sentit son intérêt redoubler. Rompue à ce petit jeu, elle s'attendait à susciter ce type de réactions – même quand les personnes qu'elle interrogeait n'avaient rien à se reprocher. Être passé au crible par la police est toujours intimidant, que ce soit au poste ou lors d'une conversation informelle comme celle qu'elles avaient en ce moment.

Elles étaient assises l'une en face de l'autre dans la petite salle de repos, juste à côté de la cantine du personnel de la maison de retraite de Reykjavík où la femme travaillait. La quarantaine, les cheveux coupés court, l'air fatigué… La visite imprévue de Hulda semblait la perturber. Bien sûr, son trouble ne prouvait rien, mais Hulda avait la sensation que la femme lui cachait quelque chose. Au fil des ans et des interrogatoires, elle avait fini par acquérir un certain talent pour sentir quand on essayait de la mener en bateau. Certains auraient parlé d'intuition, mais Hulda détestait ce mot, l'alibi commode des flics paresseux.

– Comment je vous ai trouvée ? répéta-t-elle calmement. Mais vous vouliez être trouvée, n'est-ce pas ?

Elle jouait sur les mots, mais c'était une façon comme une autre de lancer la conversation.

– Quoi ? Oui…

Une vague odeur de café flottait dans l'air – un relent âcre. La pièce, exiguë, était sombre et meublée à l'ancienne, sans éclat.

La femme avait posé sa main sur la table. Sa paume laissa une empreinte moite quand elle la ramena vers sa joue. En temps normal, Hulda se serait réjouie de repérer un tel signe. Peut-être le préambule à des aveux ? Mais elle n'éprouvait pas sa satisfaction habituelle. Elle reprit :

– Je voudrais vous poser quelques questions à propos d'un incident qui s'est déroulé la semaine dernière.

Elle parlait vite, comme à son habitude. Son ton était chaleureux et enjoué, élément important de la personnalité positive qu'elle s'était façonnée pour sa vie professionnelle et qui lui servait pour des tâches aussi délicates que celle-ci. Le soir, chez elle, elle était totalement différente. Seule, vidée de toute énergie, en proie à la fatigue et à la déprime.

La femme hocha la tête. Elle savait ce qui l'attendait.

– Où étiez-vous vendredi soir ?

La réponse fusa.

– Au travail, je crois bien.

Hulda se sentit presque soulagée. Son interlocutrice ne renoncerait pas à sa liberté sans combattre.

– Vous êtes sûre ?

L'inspectrice se pencha en arrière, bras croisés, scrutant la réaction de la femme. Cette attitude, qu'elle adoptait toujours lors d'un interrogatoire, pouvait passer autant pour une posture défensive que pour un manque d'empathie. Posture défensive ? Et puis quoi encore ? C'était juste une façon d'occuper ses mains, éternellement agitées, et de rester concentrée. Quant au manque d'empathie… Elle n'éprouvait pas le besoin de s'impliquer, sur le plan émotionnel, davantage qu'elle ne le faisait déjà, tant son travail monopolisait sa vie : l'intégrité et l'implication qu'elle manifestait dans ses enquêtes frôlaient l'obsession.

– Vous en êtes bien certaine ? C'est facile à vérifier, vous savez. Vous ne voudriez pas être prise en flagrant délit de mensonge…

La femme ne répondit rien, mais sa gêne était évidente.

– Un homme a été renversé par une voiture, lâcha finalement Hulda. Vous avez dû voir ça dans les journaux ou à la télé ?

– Quoi ? Euh, peut-être…

Puis la femme ajouta :

– Et comment il va ?

– Il survivra, si c'est ce que vous voulez savoir.

– Non, pas vraiment, je…

– Mais il ne s'en remettra jamais complètement. Il est encore dans le coma. Alors, vous êtes au courant de cet incident ?

– J'ai… j'ai dû lire un article quelque part…

– Ce que les journaux n'ont pas dit, c'est que cet homme avait été condamné pour pédophilie, dit Hulda tandis que le visage de la femme restait impassible. Vous deviez le savoir quand vous avez foncé sur lui.

Toujours aucune réaction.

– Il a fait de la prison il y a quelques années, il avait purgé sa peine…

– En quoi ça me concerne ? interrompit la femme.

– Comme je viens de vous le dire, il avait purgé sa peine. Mais ça ne signifie pas pour autant qu'il avait *arrêté*. C'est ce qu'a démontré l'enquête. Car nous avions une bonne raison de croire que cet accident avec délit de fuite n'était pas un simple hasard. Nous avons fouillé son appartement pour trouver une piste. Et nous avons mis la main sur toutes ces photos…

– Des photos ? demanda la femme, définitivement ébranlée. De quoi ?

– D'enfants.

La femme retenait son souffle. Hulda répondit à la question qu'elle n'osait pas poser et qui lui brûlait manifestement les lèvres.

– Et de votre fils.

Des larmes se mirent à rouler sur les joues de la femme.

– Des photos… de mon fils, bégaya-t-elle dans un sanglot.

– Pourquoi vous n'avez pas alerté les secours ? poursuivit Hulda, en s'efforçant de rendre sa question la moins accusatrice possible.

– Hein ? Je ne sais pas… Bien sûr, j'aurais dû le faire… Mais je pensais à lui, vous comprenez ? À mon fils. Je ne supportais pas l'idée de lui infliger ça… Il aurait été obligé… d'en parler à des gens… de témoigner dans un tribunal. C'était une erreur… peut-être…

– De renverser cet homme ? Oui.

– Oui, mais…

Hulda attendit, laissant aux aveux le temps nécessaire pour advenir. Mais elle n'éprouvait pas ce sentiment d'accomplissement qu'elle ressentait généralement quand elle résolvait une affaire. D'ordinaire, son seul but était d'exceller dans son métier ; sa fierté se mesurait au nombre d'affaires délicates qu'elle avait résolues toutes ces années. Le problème, cette fois, c'est qu'elle n'était pas du tout persuadée d'être assise en face du vrai coupable – même si la femme avait bien commis les faits, pas de doute. À tout prendre, c'était plutôt une victime.

À présent, la femme s'abandonnait totalement à ses pleurs.

– Je... je le surveillais.

Sa voix s'étrangla.

– Vous le surveilliez ? Vous habitez dans le même quartier, n'est-ce pas ?

– Oui, murmura la femme, reprenant la maîtrise de sa voix, comme si la colère lui donnait un surcroît de force. Je surveillais ce salaud. L'idée qu'il puisse continuer à faire ses... ses saloperies m'était insupportable. J'en faisais des cauchemars, je rêvais qu'il s'attaquait à une autre victime, je me réveillais en pleine nuit... Et tout ça, c'était ma faute parce que je ne l'avais pas dénoncé ! Vous comprenez ?

Hulda acquiesça. Elle ne comprenait que trop bien.

– Un jour, je l'ai repéré rôdant près de l'école. Je venais d'y déposer mon fils. J'ai garé la voiture et je l'ai observé. Il discutait avec des garçons, et il avait... ce sourire répugnant. Il est resté un moment à traîner près de l'aire de jeux. J'étais folle de rage. Il continuait. Les types comme lui n'arrêtent jamais...

Elle essuya ses joues mais les larmes ne cessaient de ruisseler.

– Presque jamais, concéda Hulda.

– Ensuite, il est parti. Je l'ai suivi. Et tout à coup, l'occasion s'est présentée. Il a traversé la rue. Il n'y avait personne autour de moi, personne pour me voir, alors j'ai accéléré. Je ne sais pas à quoi je pensais. À rien sans doute.

Les sanglots redoublèrent, la femme enfouit sa tête dans ses mains. Sa voix tremblait.

– Je ne voulais pas le tuer. Enfin, je ne crois pas. J'étais juste terrifiée et furieuse. Qu'est-ce qui va m'arriver maintenant ? Je ne peux pas... je ne peux pas aller en prison. On est tous les deux, mon fils et moi. Son père est un incapable. Il ne peut pas s'en occuper.

Hulda se leva et posa la main sur l'épaule de la femme. Sans rien ajouter.

2

Debout près de la vitre, la jeune mère attendait. Elle s'était habillée avec soin pour la visite, comme toujours. Son manteau – sans doute le plus élégant – était un peu élimé, mais les temps étaient durs : elle ferait avec. Ils l'obligeaient toujours à attendre. Comme pour la punir. Comme pour lui rappeler sa faute et lui marteler la leçon. Pour ne rien arranger, la pluie avait trempé son manteau.

Plusieurs minutes passèrent, longues comme l'éternité, avant qu'une infirmière entre dans la salle, portant la petite fille dans ses bras. Comme à chaque fois qu'elle voyait sa fille de l'autre côté de la vitre, la mère eut le cœur chamboulé. Submergée par une vague d'impuissance et de désespoir, elle prenait courageusement sur elle pour n'en rien laisser paraître. Certes, sa fille n'avait que six mois – aujourd'hui justement – et ne risquait guère de se rappeler sa visite. Mais son instinct de mère lui soufflait qu'il était crucial que le moindre de ses souvenirs – et donc la moindre de ses visites à elle – soit un moment heureux.

L'enfant était pourtant loin de paraître heureuse. Pire : la présence de sa mère, de l'autre côté de la vitre, ne semblait pas susciter de réaction chez elle. Comme si elle n'était qu'une étrangère – une femme un peu bizarre, au manteau mouillé, sur laquelle elle aurait posé les yeux pour la première fois. Pourtant, il n'y avait pas si longtemps, elles étaient blotties l'une contre l'autre dans le service de maternité.

La jeune mère avait droit à deux visites par semaine. Insuffisant. À chaque fois, le fossé se creusait un peu plus entre elles. Deux visites seulement, et cette vitre qui les séparait…

Elle essaya de parler à son enfant à travers la paroi. Elle savait que le son de sa voix lui parvenait, mais à quoi servaient ses mots ? La petite fille était trop jeune pour comprendre, elle avait besoin d'être bercée peau contre peau par sa mère, pas qu'on lui parle.

Ravalant ses larmes, la femme sourit à son enfant et lui dit à voix basse combien elle l'aimait.

– Mange bien et sois gentille avec les infirmières.

En réalité, elle ne désirait qu'une seule chose : briser la vitre, arracher le bébé des mains de l'infirmière et tenir son enfant contre elle pour ne plus jamais le laisser.

Sans même s'en rendre compte, elle s'était approchée de la vitre. Elle tapota doucement le verre et la bouche de la petite fille se fendit en un sourire qui la fit fondre. Une larme glissa alors, enfin, sur sa joue. Elle tapota un peu plus fort, mais l'enfant tressaillit et se mit à pleurer.

Incapable de se retenir, la mère se mit à cogner de plus en plus fort contre la vitre en hurlant :

– Rendez-la-moi ! Je veux ma fille !

L'infirmière se leva et quitta prestement la salle, emportant le bébé. Malgré cela, la mère continuait de frapper et de crier.

Soudain, une main ferme s'abattit sur son épaule. Elle se retourna : une femme âgée se tenait devant elle. Elles se connaissaient déjà.

– Allons, vous savez que ça ne vous mènera à rien. On ne pourra plus vous autoriser ces visites si vous faites un tapage pareil. Vous faites peur à votre fille.

Ses mots résonnèrent dans la tête de la mère. Elle connaissait le laïus par cœur : dans l'intérêt de l'enfant, mieux valait ne pas créer de lien trop profond pour ne pas rendre trop pénible l'attente entre les visites. C'était pour le bien de sa fille.

Cela lui avait semblé complètement absurde, mais elle avait fait semblant de comprendre, terrifiée de se voir totalement interdire les visites.

Dehors, sous la pluie qui n'avait pas cessé, elle se jura qu'une fois réunies, elle ne parlerait jamais à sa fille de cette période, de la vitre et de la séparation forcée. Elle espérait juste que l'enfant ne s'en souviendrait pas.

3

Il était près de dix-huit heures quand l'interrogatoire de la femme s'acheva. Hulda rentra directement chez elle. Elle avait besoin de se poser un peu avant de passer à l'étape suivante.

L'été approchait, les journées rallongeaient mais le soleil tardait à apparaître. Les averses, en revanche, succédaient aux averses.

Dans ses souvenirs, les étés étaient plus chauds, plus lumineux, gorgés de soleil. Tant de souvenirs… Trop, à vrai dire. Elle avait du mal à croire qu'elle allait avoir soixante-cinq ans. Qu'elle était en plein cœur de la soixantaine, avec ses soixante-dix ans en ligne de mire.

Accepter son âge était une chose ; accepter la retraite en était une autre. Mais il n'y avait rien à faire : bientôt, bien trop tôt, elle toucherait sa pension. Qu'est-ce qu'une personne de son âge était censée ressentir ? Elle n'en savait rien. Sa mère était déjà une vieille femme à soixante ans – et même avant cela. Mais à présent que c'était son tour, Hulda n'éprouvait pas de grande différence entre ses quarante-quatre ans et ses soixante-quatre ans. Peut-être un peu moins de tonus ces derniers temps, mais rien de vraiment notable. Elle avait encore une bonne vue. Son ouïe, peut-être, laissait un peu à désirer. Elle s'entretenait physiquement, elle aimait le grand air, ça aidait. On lui avait même signé un certificat attestant qu'elle n'était pas vieille ! « En excellente forme », avait reconnu le jeune médecin lors de son dernier check-up – un garçon bien trop jeune pour être médecin, évidemment.

À vrai dire, la phrase complète était : « En excellente forme *pour votre âge.* »

Elle avait gardé son visage et sa couleur naturelle de cheveux – bruns, toujours, avec quelques mèches grises éparses. C'était seulement quand elle s'observait dans un miroir qu'elle constatait les ravages du temps. Parfois, elle n'en croyait pas ses yeux, comme si on lui renvoyait le reflet d'une étrangère – des traits familiers, bien sûr, mais qu'elle aurait préféré ne pas reconnaître. Des rides ci et là, des poches sous les yeux, la peau plus distendue. Qui était cette femme ? Qu'est-ce qu'elle fabriquait dans le miroir de Hulda ?

Assise dans le « bon » fauteuil, celui de sa mère, elle regardait par la fenêtre du salon. La vue n'avait rien de remarquable : le genre de panorama qu'on a sous les yeux depuis le quatrième étage d'un immeuble en ville.

Ça n'avait pas toujours été ainsi. De temps en temps, elle s'autorisait un moment fugace de nostalgie, repensant aux jours anciens. Quand elle vivait en famille dans la maison au bord de la mer, à Álftanes. Quand les chants des oiseaux éclataient, si forts, si soutenus – tellement plus forts qu'ici. Il suffisait de mettre un pied dans le jardin pour se sentir immergé dans la nature. Avec la mer si proche, le vent soufflait beaucoup, il est vrai. Mais Hulda s'était toujours accrochée au vent frais de l'océan, aussi froid soit-il, comme à une bouée de sauvetage. Elle fermait les yeux, debout sur le rivage, au pied de la maison, laissant son esprit se remplir des échos de la nature – le fracas des vagues, le miaulement des goélands. Elle respirait, tout simplement.

Le temps avait passé si vite. Le jour où elle était devenue mère, celui où elle s'était mariée : c'était hier. Pourtant, si on faisait le décompte des années, cela remontait à une éternité. Le temps est comme un accordéon : un instant comprimé, le suivant s'étirant interminablement.

Elle savait que son métier lui manquerait, en dépit de toutes ces fois où elle s'était plainte de voir ses talents sous-estimés. Malgré le plafond de verre auquel sa tête s'était si souvent heurtée.

La vérité, c'est qu'elle était terrifiée à l'idée de se retrouver seule. Même si, à l'horizon, une lueur commençait à briller. Elle ne savait pas encore où son amitié avec ce type du club de randonnée la mènerait, mais les perspectives étaient à la fois excitantes et déstabilisantes. Depuis son veuvage, elle était restée plus ou moins célibataire. Elle n'avait rien fait pour encourager les avances de cet homme. Elle avait au contraire passé en revue tous les désavantages d'une relation, et son âge lui semblait un obstacle insurmontable. Ce qui ne lui ressemblait pas : elle faisait habituellement de son mieux pour l'oublier, s'accrochant à la jeunesse de son esprit. Cette fois, un nombre l'en empêchait. Soixante-quatre. Elle ne cessait de se demander si c'était une bonne idée de se lancer dans une histoire sentimentale à son âge – mais en réalité, c'était juste une mauvaise excuse pour s'éviter de prendre le risque. Elle avait peur, voilà tout.

Quoi qu'il puisse arriver, Hulda était bien décidée à prendre son temps. Inutile de précipiter les choses. Elle aimait bien cet homme et s'imaginait sans peine passer en sa compagnie le crépuscule de sa vie. Ce n'était pas de l'amour – elle avait même oublié à quoi ça ressemblait –, mais l'amour n'était pas indispensable. Ils partageaient la même passion pour la nature et le grand air, ce qui n'allait pas de soi, et elle se plaisait en sa présence. Elle savait aussi que si elle avait accepté de le revoir après leur premier rendez-vous, c'était parce qu'elle était terrifiée à l'idée de vieillir seule.

4

Hulda était troublée par cet e-mail, même s'il ne comportait rien d'exceptionnel : son chef voulait avoir une petite discussion avec elle à neuf heures. Il avait envoyé son message la veille au soir, assez tard, ce qui était plutôt inhabituel. Comme le fait de vouloir commencer la journée par une « petite discussion » avec elle. Hulda le voyait souvent tenir des réunions informelles dans la matinée, mais elle n'y était jamais conviée. Ce n'étaient pas tant des réunions de travail que des occasions de renforcer l'esprit d'équipe entre les gars du service, et elle ne faisait pas partie de cette bande. Elle avait beau occuper un poste à responsabilité depuis des années, elle avait l'impression que ses supérieurs ne lui faisaient pas pleinement confiance – pas plus que ses subordonnés, d'ailleurs. La direction n'avait certes pas réussi à l'écarter totalement de toute idée de promotion, mais elle était désormais au pied d'un mur infranchissable. Les postes auxquels elle prétendait étaient régulièrement attribués à des collègues plus jeunes et plus… masculins. Elle s'était finalement résignée à l'inévitable. Et plutôt que d'espérer de nouveaux lauriers, elle s'était contentée d'être la meilleure inspectrice principale possible.

C'est donc avec une certaine appréhension qu'elle avança dans le couloir en direction du bureau de

Magnus. Il répondit immédiatement aux coups frappés à la porte. Il était aussi affable que d'habitude, mais d'une cordialité superficielle, fausse.

– Asseyez-vous, Hulda.

Son ton était légèrement condescendant, que ce soit conscient ou non. Elle frémit.

– J'ai pas mal de travail… C'est important ?

– Asseyez-vous, répéta-t-il. Il faut qu'on ait une petite conversation tous les deux. Sur votre cas.

Magnus venait d'entrer dans la quarantaine. Il avait gravi rapidement les échelons. Il était grand, en pleine santé ; seule sa calvitie précoce trahissait son âge.

Elle s'assit, le cœur serré. Son *cas* ?

– Vous n'en avez plus pour longtemps, commença Magnus avec un sourire.

Tandis que Hulda se taisait, il se racla la gorge et insista, plus maladroitement encore :

– Je veux dire, c'est votre dernière année parmi nous, n'est-ce pas ?

– Oui, en effet, répondit-elle, hésitante. Je prends ma retraite à la fin de l'année.

– Exactement. La seule chose… c'est qu'une nouvelle recrue nous rejoint le mois prochain. Un jeune homme extrêmement brillant.

Hulda n'arrivait pas à croire que cette conversation avait lieu.

– Il va vous remplacer. C'est une chance pour l'équipe de pouvoir le compter parmi nous. Il aurait pu tout aussi bien partir à l'étranger ou travailler dans le privé.

Un coup de poing dans l'estomac.

– Quoi ? Me remplacer ? Qu'est-ce que… qu'est-ce que vous voulez dire ?

– Il va prendre votre poste et votre bureau.

Les mots lui manquaient. Ses pensées se bousculaient dans sa tête.

– Quand ? demanda-t-elle d'une voix rauque.

– Dans deux semaines.

– Mais… qu'est-ce que je vais devenir ?

La nouvelle l'anéantissait.

– Vous pouvez partir maintenant, tout de suite. Il ne vous reste plus beaucoup de temps, de toute façon. Il s'agit juste d'avancer de quelques mois la date de votre retraite.

– Tout de suite ?

– Oui. Naturellement, vous conserverez votre salaire. Vous n'êtes pas virée, Hulda. Vous prenez juste un congé de quelques mois, et vous enchaînez sur votre retraite. Ça ne changera rien au montant de votre pension. Vous avez l'air surprise… C'est un bon arrangement que je vous propose. Vous n'y perdez pas au change. Vous aurez plus de temps pour vos loisirs, plus de temps pour…

À son expression, il était évident qu'il n'avait pas la moindre idée de ce que Hulda pouvait bien faire de son temps libre.

– … pour voir vos…

Il n'alla pas plus loin. Il aurait dû savoir que Hulda n'avait pas de famille.

– C'est très aimable à vous de me le proposer, mais je n'ai pas l'intention de prendre ma retraite en avance, répondit- elle sèchement en essayant de faire bonne figure. Merci quand même.

– À vrai dire, ce n'est pas une proposition. Ma décision est prise.

La voix de Magnus s'était faite plus cassante.

– Votre décision ? Je n'ai pas mon mot à dire ?

– Je suis désolé, Hulda. Nous avons besoin de votre bureau.

Et de rajeunir l'équipe, pensa-t-elle.

– C'est comme ça que vous me remerciez ?

Elle sentit sa voix flancher.

– Allons, allons, ne le prenez pas mal. Ça n'a aucun rapport avec vos compétences. Voyons, Hulda, vous savez bien que vous êtes l'un de nos meilleurs officiers – nous le savons tous les deux.

– Et les affaires dont je m'occupe ?

– Je les ai déjà attribuées à d'autres. Avant votre départ, vous pourrez faire la connaissance de notre nouvel agent et le briefer. Votre gros dossier du moment, c'est ce pédophile qu'on a renversé avec délit de fuite, n'est-ce pas ? Du nouveau de ce côté ?

Elle réfléchit. Ça aurait été satisfaisant pour son ego de partir sur un succès : aveux et enquête bouclée. Dans un moment de folie, une femme a décidé de faire justice elle-même afin d'éviter que d'autres enfants ne soient victimes d'agressions. Mais son geste pouvait se comprendre. Une sorte de vengeance légitime ?

– Je suis encore loin d'avoir terminé, j'en ai peur, finit-elle par dire. Si vous voulez mon avis, c'était juste un accident. Je suggère de classer le dossier en espérant que le chauffard se fera connaître le moment venu.

– Hmmm, d'accord. Parfait. On vous préparera une petite fête un peu plus tard dans l'année, quand vous prendrez officiellement votre retraite. Mais vous pouvez libérer votre bureau aujourd'hui, si vous voulez.

– Vous voulez que je parte aujourd'hui même ?

– Oui, si ça vous va. Sauf si vous préférez rester encore deux ou trois semaines.

– Oui, s'il vous plaît.

Elle regretta aussitôt le « s'il vous plaît ».

– Je partirai quand le nouveau prendra son poste, mais en attendant, je veux suivre mes affaires.

– Je vous l'ai dit, je les ai déjà affectées à vos collègues. Mais… eh bien, vous pouvez toujours vous occuper d'une de nos affaires non résolues, j'imagine. Celle qui vous plaira. Qu'est-ce que vous en dites ?

Elle se vit bondir de sa chaise et partir en claquant la porte sans jamais revenir. Une impulsion aussitôt réprimée. Elle ne lui ferait pas ce plaisir.

– Bien. Je vais faire ça. N'importe quelle affaire ?

– Euh… oui, absolument. Ce que vous voulez. Ce qui vous permet de vous occuper.

Hulda eut la très nette impression que Magnus n'attendait qu'une chose : qu'elle fiche le camp, maintenant. Il avait d'autres chats à fouetter.

– Entendu. Dans ce cas, je vais trouver de quoi *m'occuper.*

Sur cette note sarcastique, elle se leva et sortit sans un au revoir ni un merci.

5

Hulda chancela en direction de son bureau, sous le choc. Elle avait le sentiment d'avoir été virée, flanquée à la porte. Comme si toutes ces années de bons et loyaux services n'avaient aucune valeur. C'était la première fois que cela lui arrivait. Elle surréagissait certainement, elle n'aurait pas dû si mal le prendre, mais elle n'arrivait pas à se débarrasser de la nausée qui lui vrillait l'estomac.

Elle s'assit et fixa d'un regard vide son ordinateur. Elle n'avait même plus assez d'énergie pour l'allumer. Son bureau, qu'elle considérait comme sa seconde maison, lui paraissait tout à coup étranger, comme si le nouveau propriétaire s'y était déjà installé. Elle trouvait sa vieille chaise inconfortable, la table en bois foncé usée et abîmée, les papiers qui y traînaient n'avaient plus aucun sens pour elle. L'idée d'y passer une minute de plus lui semblait insoutenable.

Elle avait besoin de trouver quelque chose, de distraire son esprit de ce qui venait de se passer. Quoi de mieux que de prendre Magnus au mot et d'aller fouiller aux archives, dans les dossiers d'affaires non résolues ? Hulda n'eut pas à réfléchir longtemps : une affaire s'imposait à elle. L'enquête avait été menée par un de ses collègues. Elle l'avait suivie de loin, mais ça pouvait se révéler un avantage : elle s'y plongerait avec un regard neuf.

Il s'agissait d'une mort inexpliquée qui, sans l'apparition d'un nouvel indice, avait toutes les chances de le rester. Qui sait ? Cette situation était peut-être un mal pour un bien, une occasion inespérée. La victime – une femme – n'avait plus personne pour prendre sa défense. Hulda pouvait endosser le rôle d'avocate, même brièvement. Et bien des choses pouvaient être accomplies en quinze jours. Elle ne s'imaginait pas vraiment résoudre l'énigme, mais ça valait le coup d'essayer. Et surtout, cela lui donnerait un but. Elle était farouchement déterminée à se présenter au bureau tous les matins jusqu'à ce que le « jeune homme » l'en déloge. L'idée de porter plainte auprès du service des ressources humaines lui traversa l'esprit, mais elle aurait tout le temps d'y réfléchir plus tard. Dans l'immédiat, elle voulait consacrer ses forces à une entreprise plus constructive.

Elle ressortit tout d'abord le dossier pour se rafraîchir la mémoire et se replonger dans les détails de l'affaire. Le corps de la jeune femme avait été trouvé par un sombre matin d'hiver, échoué dans une crique rocheuse à Vatnsleysuströnd, une parcelle côtière faiblement peuplée de la péninsule de Reykjanes, à trente kilomètres au sud de Reykjavík. Hulda n'y avait jamais mis les pieds, n'avait jamais eu de raison de le faire même si elle souvent passée dans les environs pour se rendre à l'aéroport. C'était un coin désolé du pays, balayé par les vents. Les champs de lave sans aucune végétation offraient peu de refuges contre les tempêtes qui soufflaient fréquemment depuis l'Atlantique vers le sud-ouest de l'Islande.

Cet incident remontait à plus d'un an et s'était déjà effacé de la mémoire collective. Non qu'il eût beaucoup attiré l'attention des médias à l'époque. Après les premiers émois autour de la découverte du corps, l'intérêt général était vite retombé et les feux de l'actualité s'étaient dirigés ailleurs. Si l'Islande était réputée pour être un des pays les plus sûrs du monde, avec guère plus de deux meurtres par an – et parfois même aucun – les morts accidentelles étaient, elles, assez courantes et les journalistes étaient plutôt blasés sur le sujet.

Ce n'était pas l'indifférence des médias qui la gênait, mais l'impression tenace que son collègue avait été négligent. Alexander. Elle n'avait jamais vraiment cru en ses capacités. Il n'était ni consciencieux ni particulièrement brillant, et s'il était parvenu à garder son poste au sein de la brigade criminelle, il le devait seulement à un mélange d'obstination et de relations judicieusement entretenues. Dans un monde plus juste, elle aurait été sa supérieure – plus intelligente, plus scrupuleuse, plus expérimentée… Mais elle était pourtant restée engluée dans sa routine. Dans des moments comme celui-là, elle ne pouvait retenir une vague d'amertume lancinante. Elle aurait tout donné à l'époque pour être en droit de retirer l'affaire à cet inspecteur qui ne la méritait pas.

Le manque d'enthousiasme d'Alexander pour cette affaire était flagrant durant les réunions avec l'équipe, quand, d'une voix molle, il énumérait tous les indices allant dans le sens d'une mort accidentelle. Hulda découvrait à présent combien il avait bâclé son rapport. Une brève synthèse des analyses *post mortem*, très lacunaire, avec la conclusion habituelle appliquée aux cadavres rejetés par la mer : impossible, vu leur état, de déterminer si la mort était le résultat d'un acte criminel. Sans grande surprise, l'enquête n'avait rien donné de plus et avait été mise au rancart pour laisser la place à des affaires « plus urgentes ». Hulda ne pouvait s'empêcher de penser que tout aurait été bien différent si la jeune femme avait été islandaise. Selon toute probabilité, l'opinion publique aurait exigé des résultats et l'enquête aurait été confiée à un inspecteur plus chevronné.

La victime avait vingt-sept ans, l'âge auquel Hulda avait donné naissance à sa fille. Vingt-sept ans, seulement : le printemps de sa vie. Bien trop jeune pour faire l'objet d'une enquête criminelle – a fortiori, d'une affaire non résolue dont personne ne voulait plus s'occuper. Personne, sauf Hulda.

Selon le rapport du médecin légiste, la fille s'était noyée. De l'eau de mer. Ses plaies à la tête auraient très bien pu suggérer qu'elle avait d'abord reçu des coups, mais elle pouvait évidemment avoir aussi trébuché, s'être assommée, et être tombée à l'eau.

Elle s'appelait Elena, c'était une demandeuse d'asile arrivée de Russie depuis seulement quatre mois. La rapidité avec laquelle tout le monde l'avait oubliée comptait sans doute pour beaucoup dans la motivation de Hulda. Elena était venue se réfugier en Islande, dans ce pays étranger, et n'y avait trouvé pour seul abri qu'une tombe, sous la mer. Si Hulda ne saisissait pas cette opportunité, personne n'irait jamais au bout de l'énigme. L'histoire d'Elena sombrerait dans l'oubli. Et resterait à jamais celle d'une fille venue en Islande pour y mourir.

6

Hulda quitta Reykjavík et roula vers le sud – le trajet qui était le sien quand elle vivait encore dans la petite maison d'Álftanes, au bord de la mer. Elle n'y était plus retournée depuis des années. Une fois la maison vendue, elle avait décidé de ne plus y mettre les pieds. Les terres basses et verdoyantes de la péninsule ne tardèrent pas à apparaître de l'autre côté de la baie, sur sa droite. Álftanes avait gardé son apparence semi-rurale, comme un petit monde coupé du reste, loin de l'expansion urbaine de Reykjavík. Cependant, depuis son époque, tout un nouveau quartier s'était développé.

Elle laissa derrière elle Álftanes et sa vie d'avant, et se concentra sur sa vraie destination, la petite ville de Njardvík, près de l'aéroport de Keflavík, sur la péninsule de Reykjanes. Là où se trouvait le foyer pour demandeurs d'asile où résidait Elena avant sa mort, selon le dossier de son collègue.

Hulda aurait pu prendre congé pour le reste de la journée et rentrer directement chez elle. Malgré la pluie, l'air avait quelque chose de printanier. À présent que le mois de mai était bien installé, on voyait mieux combien la nuit venait tard, et la clarté des soirs recelait la promesse du soleil de minuit. C'était une époque de l'année merveilleuse, porteuse de toutes les promesses, quand reculait la noirceur de l'hiver du grand nord, quand les soirées gagnaient en clarté chaque jour un peu plus jusqu'à la mi-juin, quand l'idée même de nuit disparaissait totalement. Un souvenir très vif lui revint de ces spectaculaires nuits d'été dans la vieille maison d'Álftanes. Dans le jardin de derrière, suffisamment vaste pour avoir l'impression d'enfin respirer, elle observait le soleil sombrer dans la mer pendant que le ciel s'enflammait d'orange et de rouge. Dans le doux halo du crépuscule, les oiseaux de mer pépiaient toute la nuit.

En ville, dans un petit appartement, toutes les saisons se ressemblaient. Les journées se fondaient les unes dans les autres en un même continuum flou, et le temps filait à une vitesse stupéfiante. Comme si l'été n'était pas déjà suffisamment court. À son paroxysme en juillet, les ténèbres feraient leur retour, insidieusement, s'immisçant dans la vie des Islandais. Tout d'abord sous la forme d'un léger crépuscule puis, en août, le mois qu'Hulda aimait le moins, les nuits tomberaient de nouveau – en rappel de l'hiver qui se rapprochait de nouveau.

Non, hors de question de rentrer chez elle après la bombe lâchée par Magnus. Cloîtrée entre les murs de son appartement, sans rien pour détourner son esprit de cette perspective dévastatrice – renoncer à son travail ! –, elle deviendrait folle. Hulda ne s'était jamais préparée mentalement à la retraite. Ce n'était rien d'autre qu'une date, une année, un âge, une simple hypothèse – jusqu'à ce jour, où c'était devenu un état de fait concret et glacial.

Ses pensées la ramenèrent au présent. La longue route à double voie qui s'étendait devant elle était une bénédiction : elle allait pouvoir rester sur la voie de droite et laisser les conducteurs impatients la dépasser à toute allure. Sa vieille Skoda des années quatre-vingt, une relique du temps où les Islandais roulaient dans des voitures est-allemandes abordables – le plus souvent des modèles soviétiques ou tchèques – provenant de pays avec lesquels l'Islande faisait commerce de poisson. C'était un modèle trois portes, carrosserie vert vif, qui n'avait pas une reprise foudroyante et lui coûtait de plus en plus cher en entretien. Si elle avait l'esprit pratique, Hulda n'avait en revanche aucun don pour la mécanique. Par chance, elle connaissait un homme dont le but dans la vie était de passer le plus de temps possible à retaper de vieilles voitures. C'était grâce à lui que la fidèle Skoda pouvait encore rouler – pour le moment.

Cela faisait longtemps que Hulda n'avait pas longé la côte sud. Elle n'avait pas vraiment de raison de se rendre dans la péninsule de Reykjanes, pas plus qu'à l'aéroport international – l'unique centre d'intérêt de la région. Elle aurait aimé voyager, mais ses finances avaient mis un veto à ce genre de projets. Son salaire couvrait tout juste ses dépenses quotidiennes ; il ne lui permettait certainement pas de partir en vacances à l'étranger. De son vivant, son mari était à la tête d'une société d'investissement au chiffre d'affaires très honorable – du moins le croyait-elle naïvement. Quand il mourut brutalement, ce fut un choc d'apprendre que leur sécurité financière était un mirage. Une fois ses affaires démêlées par les notaires, les dettes s'étaient révélées bien supérieures à leur patrimoine. Elle avait dû vendre leur magnifique maison et, à un âge respectable, repartir de zéro. Avant cela, elle n'avait jamais imaginé devoir mettre de l'argent de côté – c'était son mari qui gérait l'aspect financier de leur vie. Apprendre à vivre de ses seuls revenus, avec un budget serré, n'avait pas été si simple. Elle avait tout d'abord acheté un petit appartement qu'elle avait ensuite revendu pour vivre dans un nouveau, légèrement plus grand, situé dans une barre d'immeubles. Jouant de malchance, elle avait souscrit un prêt hypothécaire indexé la veille de l'effondrement des banques islandaises. Elle devait désormais éponger une lourde dette et ses remboursements mensuels avaient explosé.

Hulda avait toujours trouvé ce trajet vers l'aéroport sinistre et démoralisant. Des champs de lave noire s'étendaient à perte de vue de chaque côté de la route – désertiques, plats et balayés par le vent. Seule la silhouette en forme de cône du mont Keilir rompait la monotonie, parmi d'autres sommets plus modestes qui s'alignaient au sud. Vers le nord, le paysage se fondait dans le gris traître de la mer. C'était une région dangereuse, pleine de cratères volcaniques cachés et de geysers de vapeur, labourée par les forces violentes à l'œuvre sous la croûte terrestre, à cet endroit où l'Islande chevauche deux plaques continentales. Les montagnes étaient recherchées des randonneurs – Hulda en avait gravies quelques-unes elle-même – mais ceci mis à part c'était un paysage qu'on appréciait mieux à distance qu'en le parcourant à pied ; quiconque s'aventurait dans ces champs de lave pouvait très facilement être blessé ou tout simplement disparaître.

Mais aujourd'hui, malgré un vent violent, le soleil brillait sur la péninsule. De l'autre côté de la baie, des nuages flottaient bas, juste au-dessus de Reykjavík. Bientôt, sur ce terrain indistinct apparut sur la droite une série d'immeubles blancs à toit bleu. Les abords de Njardvík. Malgré la superficie relativement restreinte de la ville, Hulda roula un certain temps au hasard des rues avant de trouver le centre d'hébergement. Elle ne connaissait pas les lieux.

Elle n'avait prévenu personne de son arrivée. Dans sa précipitation à quitter le commissariat et l'ambiance oppressante qui y régnait depuis l'annonce de la « mauvaise nouvelle », elle n'avait pas pensé à téléphoner. Elle imaginait les commérages de ses collègues dans les couloirs. Ils devaient tous être au courant qu'elle était flanquée à la porte – qu'elle faisait partie de l'histoire ancienne. Un poids mort. Écartée au profit d'un jeune éphèbe. Quelle saloperie !

La femme à l'accueil ne devait pas avoir plus de vingt-cinq ans. Hulda se présenta comme inspectrice de police, sans préciser les raisons de sa visite. La jeune femme demanda sans ciller :

– Qu'est-ce que je peux faire pour vous ? Vous voulez parler à un de nos résidents ?

D'après ce que Hulda avait compris, le foyer abritait exclusivement des demandeurs d'asile. C'était un endroit sans chaleur. On pouvait presque palper le désespoir qui imprégnait l'air – le silence et la tension. Les murs étaient d'un blanc sévère et rien ici ne rappelait, de près ou de loin, un « foyer » ou même un hôtel. Ici, on attendait comme dans les limbes que tombe l'annonce de son destin.

– Non. Juste discuter avec la personne en charge de l'établissement.

– C'est moi, Dora.

Hulda n'arrivait pas à croire que cette jeune femme était vraiment la responsable des lieux. Qu'une frêle gamine comme elle puisse être à la tête de cet endroit.

– Ah, bien, répondit-elle, gênée, honteuse de ses préjugés. Est-ce qu'on peut se parler quelque part en privé ?

Dora avait les cheveux châtains coupés court et un air sérieux, très professionnel. Son sourire était accueillant mais son regard d'une étonnante froideur – tranchant comme une lame.

– Bien sûr. Allons dans mon bureau, c'est par là.

Dora s'engouffra d'un pas décidé dans le couloir, Hulda à sa suite. Elles entrèrent dans une petite pièce impersonnelle et dépouillée, avec des stores noirs aux fenêtres et une ampoule nue qui jetait une lumière blafarde. Pas de livres, pas de papiers, juste une table et un ordinateur portable.

Elles s'assirent et Dora attendit sans rien dire que Hulda lui explique ce qui l'amenait. Cherchant les mots justes, Hulda se lança :

– Je viens parce que… j'enquête sur la mort, il y a un peu plus d'un an, d'une femme qui a vécu ici. Elle s'appelait Elena. C'était une réfugiée.

– Ah, elle. Oui, je vois.

Dora fronça les sourcils, perplexe.

– Je croyais que l'affaire avait été classée ? J'ai reçu un coup de fil de… vous savez, cet inspecteur. J'ai oublié son nom.

– Alexander.

En prononçant son prénom, Hulda le visualisait : négligé, gras, avec ce regard vide qui ne manquait jamais de la hérisser.

– Ouais, Alexander, c'est ça. Il m'a téléphoné un jour pour me prévenir que le dossier était clos. L'enquête criminelle n'avait rien donné et, de toute façon, il croyait à la thèse de l'accident. Ou du suicide. Elena désespérait d'obtenir une réponse à sa demande d'asile.

– Vous diriez que son délai d'attente était anormalement long ? J'ai cru comprendre qu'elle était chez vous depuis quatre mois.

– Oh non, pas vraiment. Ça n'a rien d'inhabituel, mais les gens réagissent différemment à ce genre de situation. Ça peut finir par peser…

– Vous partagiez l'avis de la police ?

– Moi ?

– Oui, vous. Vous pensez qu'elle s'est noyée ?

– Je ne suis pas une spécialiste. Je ne sais pas quoi en penser. Ce n'était pas moi qui menais l'enquête. Peut-être que… c'est quoi son nom, déjà ?

– Alexander.

– Ouais, Alexander. Il détenait sûrement des informations que je n'avais pas, dit Dora en haussant les épaules.

Ça, ça m'étonnerait, songea Hulda, mais elle se retint de le dire à haute voix.

– Vous avez forcément votre petite idée…

– Eh bien, oui, mais on est très occupés ici. Les gens vont et viennent tout le temps. Et elle, elle est partie… De toute façon, je n'ai pas le temps de me poser ce genre de questions.

– Vous la connaissiez, tout de même ?

– Pas vraiment. Pas plus que les autres. Écoutez, moi, je dirige ce centre. C'est comme ça que je gagne ma vie. Je dois rester concentrée sur la gestion quotidienne. Il s'agit peut-être de vie ou de mort pour les résidents, mais moi, j'essaie juste de faire tourner le centre.

– Pensez-vous qu'il y ait quelqu'un qui l'aurait mieux connue que vous ?

Dora réfléchit.

– J'en doute. Plus maintenant. Je vous l'ai dit, ici, les résidents, ça va, ça vient…

– Il n'y a vraiment plus personne qui était présent au centre en même temps qu'Elena ?

– Si, c'est possible.

– Vous pourriez vérifier ?

– Je vais voir…

Elle alluma son ordinateur et, quelques clics plus tard, leva les yeux de l'écran.

– Deux Irakiens… ils sont encore là. Je vais les appeler. Et une Syrienne, aussi…

– Que je peux voir aussi ?

– Ça va être difficile.

– Pourquoi ?

– Elle est sortie pour l'instant. Son avocat est venu la chercher tout à l'heure, je crois qu'ils sont partis à Reykjavík. Une avancée dans son dossier… Ce n'est pas plus mal, vu qu'elle passe ses journées enfermée dans sa chambre à attendre. Tout juste si elle descend pour les repas. C'est tout ce que je sais. Les avocats ne me disent jamais rien, naturellement, mais en les voyant tous les deux, j'ai compris qu'il se passait quelque chose. Espérons que ce soient de bonnes nouvelles – même si rien n'est jamais sûr.

– Parlez-moi tout de même d'Elena. Comment se comportait-elle ? Quelle était sa situation ?

– Aucune idée.

– Elle avait un avocat pour l'aider ?

– Oui, je suppose. Maintenant, vous dire qui… à supposer que je l'aie su…

– Mais vous avez bien un nom ?

– Bah, ce sont toujours les mêmes.

Elle donna trois noms que Hulda nota consciencieusement.

– Puis-je voir sa chambre ?

– Pourquoi la police se préoccupe de ça maintenant ?

– Bon, vous pouvez me montrer sa chambre, s'il vous plaît ?

Le ton de Hulda était plus sec. Sa patience commençait à s'épuiser.

– D'accord, d'accord, répondit Dora, vexée. Ça ne coûte pas plus cher d'être aimable, vous savez. Ça n'est pas drôle de se retrouver mêlée à ce genre de choses.

– Vous y êtes mêlée ?

– Oh, vous comprenez ce que je veux dire. Sa chambre est à l'étage mais elle est occupée par quelqu'un d'autre. On ne peut pas débarquer comme ça…

– Eh bien, vérifiez déjà si la personne est là ?

Manifestement agacée, Dora quitta le bureau et monta à l'étage, suivie par Hulda. Elle passa devant plusieurs chambres, puis s'arrêta à une porte et frappa. Un jeune homme ouvrit. Dora lui expliqua en anglais que la police avait besoin d'inspecter sa chambre. Visiblement alarmé, il demanda, d'une voix faible :

– Ils veulent me renvoyer chez moi ?

Il répéta la question plusieurs fois avant que Dora ne parvienne à le rassurer : la visite de la police n'avait rien à voir avec lui. Les larmes aux yeux mais soulagé, il accepta à contrecœur. Hulda savait que, légalement, il n'y était pas obligé. En même temps, il y avait peu de chances pour que le malheureux se mette à invoquer ses droits devant elle. Elle se sentait un peu honteuse de lui infliger cette épreuve. Mais la fin justifiait les moyens. Et le temps pressait.

– Est-ce qu'elle parlait anglais ? demanda-t-elle à Dora une fois dans la chambre.

Son occupant actuel se tenait dans le couloir, gêné. Dora jeta un coup d'œil autour d'elle.

– Pardon ?

– La Russe. Elena.

– Très peu. Seulement le russe. Elle comprenait sans doute deux-trois mots mais elle ne pouvait pas tenir une conversation en anglais.

– C'est pour ça que vous n'avez pas pu faire mieux connaissance ?

Dora secoua la tête, visiblement amusée.

– Oh, non. Je n'entretiens jamais de liens avec les résidents, quelles que soient les langues qu'ils parlent.

– La chambre n'est pas très grande.

– Je ne dirige pas un palace.

– Elle l'occupait seule ?

– Oui. Et pour autant que je m'en souvienne, on ne peut pas dire qu'elle était du genre à poser vraiment des problèmes.

– « Vraiment des problèmes » ?

– Oui, vous voyez ce que je veux dire, à faire des histoires. Ils ne sont pas tous capables de supporter l'attente. Ça peut être rude, parfois…

La pièce, à peine plus grande qu'une cellule, contenait un lit, un petit bureau et une sorte d'armoire. Peu d'affaires personnelles, si ce n'était un pantalon de jogging posé sur le lit et un sandwich entamé sur le bureau.

– Pas de télévision ?

– Je vous l'ai dit, ce n'est pas un palace, ici. Il y a un salon télé en bas.

– Elle n'aurait pas laissé quelques affaires personnelles, par hasard ?

– Je ne m'en souviens pas, malheureusement. En général, quand les gens disparaissent et ne reviennent plus, je me débarrasse de leurs affaires.

– Ou quand ils meurent.

– Aussi.

La chambre n'avait pas grand-chose à révéler, en tout cas pas à première vue. Hulda la parcourut de nouveau du regard pour essayer, à défaut d'autre chose, de se mettre à la place de la jeune femme, de comprendre à quoi les derniers mois de sa vie avaient pu ressembler.

Elle s'était retrouvée dans ce pays inconnu, ce foyer inhospitalier où personne ne parlait sa langue. Enfermée entre quatre murs, se sentant prisonnière comme Hulda dans son appartement, seule, sans famille, sans personne qui se préoccupe de son sort. C'était sans doute ça, le pire : n'avoir personne qui se préoccupe de soi.

Pendant une seconde, Hulda ferma les yeux et tenta de humer l'atmosphère. Mais la seule chose qu'elle réussit à sentir, ce fut l'odeur du potage aux champignons qui montait de la cuisine.

7

Avant de partir, Hulda eut le temps d'interroger brièvement les deux Irakiens, dont l'un parlait un anglais très correct. Ils vivaient en Islande depuis plus d'un an et semblaient manifestement très contents de pouvoir parler à un officier de police, représentant des autorités. Avant de pouvoir poser ses questions, elle dut affronter un torrent de récriminations sur la façon dont ils étaient traités et le peu d'intérêt qu'on accordait à leurs dossiers. Elle réussit enfin à placer quelques mots. Ils se souvenaient d'Elena, et, plus encore, de sa mort brutale. Mais ils ne s'étaient jamais adressé la parole – la barrière de la langue –, et Hulda ne put rien tirer d'intéressant.

Dans le hall, elle remercia Dora et lui demanda de lui faire signe quand la Syrienne serait de retour au foyer. Son espoir qu'elle sache quelque chose était faible.

– Sans faute, promit Dora.

Hulda ne se faisait aucune illusion : la jeune femme n'en ferait pas une priorité.

Trois quarts d'heure plus tard, elle était de retour à Reykjavík. Elle se gara devant le poste de police, sans réelle intention d'y entrer. Au lieu de quoi elle chercha le nom de l'avocat qui s'était occupé d'Elena.

Quelques coups de fil suffirent. Il s'agissait d'un juriste d'âge moyen qui avait collaboré plusieurs années avec la police avant de monter son cabinet. Il se souvenait de Hulda.

– J'ai peur de ne pas avoir grand-chose pour vous, dit-il d'un ton amical, mais n'hésitez pas à passer. Vous savez où nous sommes ?

– Je vous trouverai. Je peux passer maintenant ?

– Je vous en prie.

Le cabinet en question, situé dans le centre-ville, n'avait rien d'impressionnant. En l'absence de réceptionniste, Albert Albertsson accueillit lui-même Hulda. Il dut lire dans ses pensées.

– C'est un tout petit cabinet d'avocats, dit-il. Pas les moyens pour le tape-à-l'œil ! On se retrousse les manches et on s'occupe de tout. En tout cas, ça me fait plaisir de vous voir.

Albert s'était toujours montré très à l'aise et affable. Les modulations chaleureuses de sa voix faisaient penser à celles d'un animateur de radio, en fin de soirée, sur une douce musique d'ambiance. Même avec beaucoup d'imagination, on n'aurait pas pu le qualifier de « bel homme », mais son visage bienveillant inspirait confiance.

Le bureau dans lequel il conduisit Hulda était radicalement différent de celui de Dora, que Hulda avait trouvé si minuscule, si nu et sans âme. Ici, des tableaux décoraient les murs, des photos s'alignaient sur une étagère et chaque surface disponible était colonisée par des piles de papiers. C'était presque trop. Une façon peut-être de cacher le fait qu'Albert n'avait pas tant à faire que ça ? Tous ces tableaux et ces photos auraient été plus à leur place chez lui que dans son bureau.

À moins que l'endroit ne soit en fin de compte son seul vrai « chez lui » ?

– Vous avez rouvert le dossier ? commença-t-il.

Tous deux s'assirent et Hulda répondit sans barguigner.

– Oui, pour l'instant.

– De nouveaux éléments ?

– Rien dont je puisse parler pour le moment. Est-ce qu'Alexander était venu vous voir pour son enquête ?

– Oui. On s'est parlé, mais je ne crois pas lui avoir été très utile.

– Vous vous êtes occupé d'Elena dès le début ?

– Oui. Je prends beaucoup d'affaires liées aux droits de l'homme. À côté de mon travail habituel, naturellement.

– Vous pourriez me résumer sa situation ?

– Eh bien, elle avait déposé une demande d'asile en Islande car elle disait être persécutée en Russie.

– Et sa demande a été rejetée ?

– Quoi ? Non, au contraire, son affaire se présentait plutôt bien.

– À quel point ?

– Sa demande allait être acceptée.

Hulda se sentait complètement prise au dépourvu.

– Attendez un peu... Elena allait recevoir une réponse positive ?

– Oui. C'était dans les tuyaux.

– Elle était au courant ?

– Évidemment. Je lui avais annoncé la nouvelle. C'était la veille de sa mort.

– Vous en avez parlé à Alexander ?

– Bien sûr. Mais en quoi est-ce important ?

Alexander avait « oublié » de mentionner ce détail dans son rapport.

– Eh bien, disons que ça réduit les probabilités qu'elle se soit suicidée.

– Pas nécessairement. Du fait de ces démarches, les demandeurs d'asile peuvent subir une pression terrible.

– Comment la trouviez-vous, d'une façon générale ? Elle était de nature joyeuse, plutôt dépressive ?

– Difficile à dire.

Albert se pencha sur son bureau.

– Oui, difficile à dire, répéta-t-il. Elle ne parlait pas anglais et je ne parle pas un mot de russe.

– Vous faisiez appel à un interprète, je suppose ?

– Oui, chaque fois que c'était nécessaire. Il faut d'abord signer pas mal de paperasse…

– C'est à lui qu'il faudrait que je parle, murmura Hulda, plus pour elle-même que pour l'avocat.

– Si vous pensez que ça peut vous aider… Il s'appelle Bjartur. Il travaille chez lui, dans la partie ouest de la ville. Tout est dans son dossier, je peux vous le prêter si vous voulez.

– Je veux bien, ce serait précieux.

– Elle aimait la musique, ajouta-t-il soudain, comme s'il venait de s'en souvenir.

– La musique ?

– Oui, je crois. Mon collègue a une guitare dans son bureau, et un jour, Elena l'avait prise et nous avait joué quelques airs.

– Qu'est-ce que vous savez d'autre sur elle ?

– Pas grand-chose. On ne connaît jamais vraiment les demandeurs d'asile qu'on représente, et pour ma part j'essaie de ne pas trop m'impliquer. Ils finissent la plupart du temps par être renvoyés d'où ils viennent, vous savez.

Il se tut un instant, puis ajouta :

– Tout ça est si triste. La pauvre… Mais bon, le suicide, c'est toujours…

– Le suicide ?

– Oui. Ce n’est pas la conclusion de l’enquête d’Alexander ?

– Si, si, en effet. L’enquête d’Alexander.

8

– Je croyais l'affaire résolue ?

Bjartur, l'interprète, était assis dans un fauteuil de bureau si vieux et si branlant qu'il devait dater des années quatre-vingt.

– Mais si ce n'est pas le cas, je serai ravi de vous proposer mon aide.

– Merci. Est-ce que mon collègue Alexander vous a interrogé à l'époque ? Vous avez pu lui fournir quelques informations ?

– Alexander ?

Sous sa belle tignasse blonde, le bien nommé Bjartur – son prénom signifiait « lumineux » – resta inexpressif. Ils étaient installés dans un ancien garage reconverti en bureau, jouxtant une petite maison individuelle dans un quartier aisé, à l'ouest de Reykjavík. Bordé par la mer sur trois côtés, l'endroit était agréable, quoique venteux. En arrivant, Hulda avait sonné à la porte d'entrée et la vieille dame qui avait ouvert lui avait indiqué le garage « où Bjartur a son bureau ». Aucune chaise ne semblait prévue pour accueillir les visiteurs. Hulda s'était assise sur le bord d'un vieux lit qui croulait sous les livres, la plupart en russe. C'est du moins ce qu'avait déduit Hulda en essayant de déchiffrer les titres sur leur dos.

Bien qu'elle l'eût prévenu de sa visite, Bjartur n'avait apparemment pas pris la peine de faire le ménage. Le sol était jonché de piles de papiers, de cartons de pizzas. Dans un coin, des chaussures de randonnée voisinaient avec un tas de linge sale.

– On travaille ensemble à la criminelle, avec Alexander, expliqua Hulda. C'est lui qui était responsable de l'enquête.

Un goût amer lui vint aux lèvres.

– Ah ? Je ne l'ai jamais rencontré. Vous êtes la première à venir me parler de cette affaire.

La colère bouillonnait en elle. Si elle avait été promue comme elle le méritait, elle aurait chapeauté Alexander et il n'aurait pas fait long feu. La question de Bjartur interrompit le cours de ses pensées.

– Alors, qu'est-ce qui se passe ? Il y a du nouveau dans l'enquête ?

Hulda lui fournit la même réponse qu'à l'avocat.

– Rien dont je puisse parler pour le moment.

En réalité, rien de tangible, rien d'autre qu'une idée soufflée par son instinct, mais elle n'allait pas l'avouer. Cette intuition n'avait fait que se renforcer tout au long de la journée. Quelle que soit la cause de la mort d'Elena, il était flagrant que l'enquête avait été lamentablement bâclée.

– Vous la voyiez souvent ?

– Non, pas tellement. Je prends ce type de travail quand il se présente. En général, il n'y a pas grand-chose à faire, et le salaire est plutôt bon. C'est difficile de gagner sa vie uniquement avec la traduction.

– Vous réussissez à joindre les deux bouts ?

– Tout juste. Je propose mes services d'interprète à des Russes, dont certains sont dans la même situation que… hum…

– Elena, compléta Hulda.

Bjartur lui-même avait du mal à se rappeler son prénom. La rapidité avec laquelle le passage de cette jeune femme en Islande avait disparu des mémoires était effarante. Tout le monde semblait s'en moquer royalement.

– Voilà, Elena… De temps en temps je sers d'interprète à des gens dans sa situation, mais je travaille surtout comme guide pour des Russes, je leur fais visiter la région… Certains sont richissimes – ça rapporte bien. Et puis, quand l'occasion se présente, je traduis une nouvelle par-ci, un roman par-là. J'écris aussi un peu…

– Quelle impression vous a-t-elle faite ? l'interrompit Hulda. Celle d'une personne suicidaire ?

Bjartur paraissait frustré de ne pas pouvoir continuer à parler de lui.

– Difficile à dire. Peut-être. Elle n'était évidemment pas précisément heureuse ici. Mais alors, ce n'était pas… Je veux dire, c'était bien un suicide, n'est-ce pas ?

– Pour parler franchement… sans doute pas.

L'assurance avec laquelle elle asséna ces mots ne se justifiait pas vraiment, mais elle sentait que l'interprète en savait plus qu'il ne voulait bien l'avouer. Elle allait devoir faire attention à ne pas trop lui mettre la pression. Se montrer patiente et attendre qu'il soit mûr.

– Vous avez fait vos études en Russie ?

Le changement de sujet parut le déstabiliser.

– Quoi ? Ah… À l'université de Moscou. Je suis tombé amoureux de la ville et de la langue. Vous connaissez la Russie ?

Hulda secoua la tête.

– Un endroit incroyable. Vous devriez y aller un jour.

– Certainement, répondit-elle, sachant pertinemment qu'elle n'y mettrait jamais les pieds.

– Incroyable, mais difficile. Surtout pour un touriste. Tout est si loin de nous là-bas : la langue, l'écriture cyrillique…

– Mais vous parlez couramment russe, n'est-ce pas ?

– Oh, bien sûr, répondit-il vivement. Depuis des années.

– Donc vous échangiez sans problème avec Elena ?

– Sans problème, oui.

– De quoi parliez-vous, tous les deux ?

– De pas grand-chose, reconnut-il. Je me contentais de traduire ses échanges avec son avocat.

– Il paraît qu'elle aimait la musique, ajouta Hulda pour faire avancer la conversation.

– Ah oui, c'est vrai ! Elle m'en a parlé. Elle écrit… elle écrivait de la musique. Elle n'avait aucune chance d'en faire son métier en Russie, mais c'était son rêve de gagner sa vie comme compositrice ici. Un jour, elle nous a joué un morceau dans le bureau de son avocat. Elle avait du talent – enfin, elle n'était pas mauvaise, vous voyez ? Mais son projet était complètement irréaliste. Qui en Islande gagne sa vie comme compositeur ?

– Et comme traducteur ?

Bjartur sourit mais ne releva pas. Puis il ajouta :

– À vrai dire, il y avait autre chose…

Son expression trahissait le dilemme qui l'agitait. Hulda répéta, comme pour l'encourager :

– Autre chose ?

– Vous feriez mieux de le garder pour vous.

– Garder quoi ?

– Écoutez, je n'ai pas envie de me retrouver embarqué dans je ne sais quoi… Je ne peux pas…

– Qu'est-ce qui s'est passé ? demanda Hulda de sa voix la plus bienveillante.

– C'est juste un truc qu'elle m'a dit… Mais ça doit rester strictement entre nous.

Hulda se força à sourire poliment. Elle mourait d'envie de lui expliquer la différence qu'il y a entre un officier de police et un journaliste. Elle n'avait toutefois pas du tout l'intention de lui promettre quoi que ce soit. Elle s'en tint à un silence diplomatique prudent, pour ne pas l'effaroucher.

Sa tactique fonctionna. Bjartur se lança :

– Je crois bien qu'elle s'était mise sur le marché…

– Sur le marché ? Vous voulez dire, de la prostitution ? Qu'est-ce qui vous fait dire ça ?

– Elle me l'a avoué.

– Ça ne figure dans aucun rapport.

La colère de Hulda était dirigée moins contre Bjartur que contre le grand absent : Alexander.

– Aucun risque. Elle me l'a dit lors de notre première rencontre, mais elle ne voulait pas que ça se sache. Elle avait l'air d'avoir peur.

– De quoi ?

– Vous voulez plutôt dire : de qui ?

– Un Islandais ?

– Je n'en suis pas sûr.

Il flanchait, manifestement rattrapé par les remords.

– Pour être honnête, d'après ce qu'elle m'a dit, j'ai cru comprendre qu'elle avait été amenée en Islande uniquement dans ce but.

– Vous êtes sérieux ? Vous voulez dire que sa demande d'asile était une couverture ?

– Possible. Elle est restée assez vague sur cette histoire, mais il était évident qu'elle ne voulait pas que ça se sache.

– Son avocat n'était pas au courant ?

– Je ne crois pas, non. En tout cas, moi, je ne lui ai rien dit. J'ai respecté le secret.

Un temps. Puis, légèrement honteux :

– Jusqu'à maintenant, en tout cas.

– Bon sang, mais pourquoi n'en avez-vous parlé à personne ?

La question sortit plus brutalement que Hulda l'aurait souhaité.

Bjartur attendit un peu avant de répondre piteusement :

– Personne ne me l'a demandé.

9

Elle rentrait chez elle à pied, comme chaque soir. Aujourd'hui, elle était particulièrement fatiguée. La journée avait été longue à l'hôtel Borg, le ciel couvert et pesant ; la pluie et le vent ralentissaient son allure. Il aurait été difficile de dire quelle était vraiment sa mission au sein de ce grand établissement luxueux du centre-ville. Certaines fois, on lui demandait de faire les chambres ; d'autres, elle donnait un coup de main au restaurant ou au bar, souvent jusqu'à une heure avancée de la nuit. Elle prenait tout ce qui se présentait, du moment que cela n'interférait pas avec les moments où elle pouvait rendre visite à sa fille.

C'était un jour particulier – le 1er décembre. Un jour de célébration, celui où l'Islande était devenue – pratiquement – indépendante du royaume de Danemark, trente ans plus tôt, en 1918. Des étudiants s'étaient retrouvés pour faire la fête à l'hôtel ; il y avait eu des discours, des chansons, et le grand poète Tómas Gudmundsson avait récité quelques bribes de ses œuvres.

Noël approchait à grands pas, et elle voulait acheter quelque chose pour sa fille, même si elle ne savait pas si elle l'aurait avec elle ce jour-là. Mais il fallait que ce soit quelque chose de spécial. Et qu'elle trouve de quoi le payer.

Un film passait dans le vieux cinéma de Gamla Bíó, qu'elle avait envie de voir – La Fièvre du pétrole, avec Clark Gable. Mais il était peu probable qu'elle y aille en fin de compte : elle gardait le moindre sou pour sa fille.

Comme elle les enviait, ces étudiants, ce soir. Comme elle aurait aimé être à leur place. Elle avait du potentiel, mais elle ne pourrait jamais devenir « quelqu'un ». L'Islande était supposée être une société sans classes, où tous étaient égaux et avaient les mêmes chances de réussir. Mais c'était un mythe ; elle n'échapperait jamais à sa condition de mère célibataire d'un milieu pauvre, condamnée à des jobs mal payés sans aucune sécurité. Pas une seule chance de s'en sortir, non.

Mais les choses seraient différentes pour sa fille.

10

Cette révélation jetait une lumière nouvelle sur l'enquête de Hulda – si tant est qu'on puisse appeler ça une enquête. C'était de la dynamite. Le travail d'Alexander se révélait d'une superficialité accablante, et surtout, la mort de la jeune Russe apparaissait sous un jour bien différent. La question était : jusqu'à quel point Hulda devait-elle informer son patron de ce coup de théâtre ? Pour le moment, Magnus ne savait même pas quelle affaire elle avait choisi de reprendre. Trop occupé, sans doute, à se féliciter de la façon très propre dont il l'avait renvoyée. À supposer qu'il pense à elle, il devait l'imaginer tranquillement assise à son bureau, à feuilleter de vieux dossiers pour tuer le temps, le tic-tac de la pendule la rapprochant inexorablement de l'heure de la retraite.

Depuis leur entretien fatidique du matin, elle s'était tenue à distance de la brigade criminelle. À sa grande surprise, la journée était passée bien plus vite qu'elle ne l'avait craint : le tourbillon qui l'avait emportée ne lui avait pas du tout laissé le temps de s'apitoyer sur son sort. Elle aurait le reste de la soirée pour ça. Et même pas : elle prévoyait de se coucher tôt et de s'accorder une longue nuit de sommeil. Elle aurait les idées claires le lendemain matin pour établir son plan d'action. Alors, elle verrait bien si elle avait l'énergie – et le courage – de s'immerger totalement dans le cas de la jeune Russe, ou si elle préférait jeter l'éponge et commencer à s'habituer à sa nouvelle vie de retraitée. Admettre que sa carrière dans la police était bel et bien terminée. Cesser de lutter contre l'inévitable et chasser des fantômes qui n'avaient peut-être jamais existé.

Mais avant de se concentrer sur ce dilemme, il lui restait un détail à régler. Confortablement calée dans le vieux fauteuil de sa mère, le téléphone dans la main, elle tergiversa un moment sans oser composer le numéro de cette pauvre infirmière qu'elle avait interrogée la veille ; la femme qui avait renversé ce salopard de pédophile. Pendant l'interrogatoire, elle n'avait cessé de trembler comme une feuille, rongée par la nervosité et la culpabilité. Elle devait traverser un véritable enfer, terrifiée à l'idée d'être séparée de son fils et d'avoir à passer plusieurs années derrière les barreaux. Après tout, elle avait avoué. Seulement, non contente de n'avoir pas encore rédigé son rapport d'interrogatoire, Hulda avait menti à son chef en prétendant que l'affaire n'était pas résolue. Avant d'appeler la malheureuse, elle devait décider en conscience si elle maintenait ce mensonge et faisait tout son possible pour épargner une injustice supplémentaire à cette mère et à son fils, ou si elle choisissait la vérité, la condamnant alors presque à coup sûr.

La réponse ne faisait pas vraiment de doute pour Hulda.

La femme avait deux numéros. Elle ne répondit pas sur son portable et mit une éternité à décrocher son fixe.

– Ici Hulda Hermannsdóttir, de la brigade criminelle. Nous nous sommes parlé hier.

– Oh… oui, répondit la femme d'une voix étranglée.

Elle prit une profonde, quoique chancelante, inspiration.

– J'ai terminé mon rapport sur l'incident, mentit Hulda, s'abritant délibérément derrière la froide terminologie policière. Et j'en suis arrivée à la conclusion que nous n'avons pas suffisamment de preuves pour procéder à une arrestation.

– Qu'est-ce… qu'est-ce que vous voulez dire ?

La voix de la femme chevrotait. Pleurait-elle ?

– Je n'ai pas l'intention de vous impliquer davantage dans cette investigation.

À l'autre bout du fil, un silence abasourdi.

– Mais… et tout ce que je vous ai raconté ?

– Ça ne servirait à rien de vous traîner devant un tribunal.

De nouveau, le silence.

– Vous… vous voulez dire que vous n'allez pas… m'arrêter ? Depuis notre discussion… je n'ai pas cessé d'y penser, je croyais que j'allais…

– Non, je ne vais pas vous arrêter. Et comme je vais bientôt partir à la retraite, avec un peu de chance, vous n'entendrez plus jamais parler de cette affaire.

Partir à la retraite. C'était la première fois qu'elle prononçait ces mots à voix haute. Ses paroles résonnèrent étrangement. C'était inouï de constater à quel point elle n'était pas préparée à cette étape décisive, pourtant prévisible depuis longtemps. Vraiment ridicule.

– Et… vos collègues de la police ?

– Ne vous en faites pas. Je ne leur ai rien dit. Bien sûr, je ne peux pas prédire ce que deviendra cette affaire après mon départ, mais pour ma part, vous n'avez rien avoué quand je vous ai interrogée. C'est bien ce qui s'est passé, n'est-ce pas ?

– Pardon ? Ah oui… bien sûr… merci.

Quelque chose poussa Hulda à ajouter :

– Mais ne vous méprenez pas : ça ne vous absout en rien. Même si je peux comprendre quelles ont été vos motivations, une chose est sûre, vous allez devoir vivre avec votre culpabilité. Simplement, vous envoyer en prison et priver votre fils de sa mère ne feraient qu'aggraver la situation à mes yeux.

– Merci, répéta la femme avec une émotion sincère.

Ses sanglots étaient désormais clairement perceptibles.

– Merci, réussit-elle à articuler une dernière fois avant que Hulda raccroche.

Quand elle était trop occupée ou sous pression, Hulda oubliait souvent de manger. Mais pas cette fois. Son repas serait le même que celui de la veille : pain et fromage. Depuis la mort de Jón, elle avait totalement renoncé à cuisiner. Elle avait tenté de faire des efforts au début, mais au fil des ans, à mesure qu'elle s'habituait à sa vie solitaire, elle avait fini par se contenter d'un repas chaud pris à la cantine du commissariat le midi, et de sandwichs avalés sur le pouce le soir.

Elle attaquait son repas en écoutant les nouvelles à la radio quand son téléphone sonna. Elle reconnut le numéro et voulut d'abord l'ignorer, puis elle décrocha – comme un réflexe, autant que par sens du devoir. Comme à son habitude, son interlocuteur se lança sans même prendre la peine de se présenter. Alexander avait toujours été un malotru.

– Nom de Dieu, à quoi tu joues ? rugit-il.

Elle le visualisait à l'autre bout du fil, ses traits tordus par la rage, son double menton, ses paupières qui tombaient sous d'épais sourcils.

Elle n'allait pas le laisser la mettre hors d'elle.

– De quoi tu parles ? demanda-t-elle de sa voix la plus posée.

– Arrête, Hulda ! Tu le sais aussi bien que moi. Putain ! La fille russe qui s'est noyée !

– Ah, et tu te souviens de son nom, j'imagine ?

La question eut l'air de le déstabiliser et le fit taire une fraction de seconde – cela ne lui ressemblait pas. Il se ressaisit rapidement.

– Qu'est-ce que ça peut foutre ? Ce que je veux…

– Elle s'appelait Elena, l'interrompit Hulda.

– Rien à foutre !

Son visage devait sans aucun doute avoir viré au cramoisi.

– Qu'est-ce que tu viens fourrer ton nez dans cette histoire, Hulda ? T'es pas à la retraite ?

La nouvelle n'avait pas tardé à faire le tour des bureaux.

– On t'aura mal informé, répondit-elle sans se démonter.

– Ah oui ? Pour ce que j'en sais…

Il se ravisa :

– Peu importe. Pourquoi tu viens te mêler de mon affaire ?

– Parce que Magnus me l'a demandé.

C'était tiré par les cheveux. Et alors ?

– Dis plutôt que tu essaies délibérément de foutre en l'air mon travail ! J'ai déjà réglé cette affaire.

– D'une façon qui ne te fait pas honneur, répliqua sèchement Hulda.

– Il n'y avait rien de suspect ! explosa Alexander qui hurlait presque dans le combiné. Cette pauvre fille allait être renvoyée chez elle, alors elle est allée se noyer dans la mer, point final !

– Non. Sa demande d'asile allait lui être accordée, et tu le savais.

Encore un silence, puis Alexander marmonna :

– Quoi ? Qu'est-ce que tu racontes ?

– L'affaire est loin d'être classée, voilà tout. Et tu m'interromps pendant mon dîner, alors si tu n'as rien d'autre à ajouter…

– Ton dîner, oui, bien sûr ! railla-t-il. Un pauvre sandwich, toute seule devant la télé… Mais on n'en a pas fini tous les deux.

Il raccrocha sur ce coup bas.

Oui, un coup bas. Hulda était la seule célibataire dans ce groupe d'hommes presque tous mariés – certains pour la seconde fois –, à la tête de familles nombreuses. Ce n'était pas la première fois qu'elle subissait ce genre de remarques. Question de territoire. Ça allait de pair avec les blagues sordides et le harcèlement pur et simple. Elle pouvait être difficile dans ses relations avec les autres, elle en était bien consciente, mais elle avait dû se forger une carapace pour survivre. Par contrecoup, les types de la criminelle s'étaient crus autorisés à la prendre pour cible.

Elle aurait pu ignorer la pique cruelle d'Alexander. Mais, comme pour lui donner tort, elle décida de téléphoner à Pétur, le type du club de randonnée. Elle le considérait toujours comme un ami plutôt qu'un petit ami – leur relation était trop platonique. Chaque fois qu'ils se trouvaient ensemble, elle se prenait à regretter de ne pas avoir vingt ou trente ans de moins. Alors, ça n'aurait pas été aussi difficile de faire le premier pas, de passer des baisers polis sur les joues à quelque chose de plus intime. Il y avait bien ces fois, au téléphone, où elle se sentait aussi timide qu'une jeune fille. Le signe qu'ils étaient sur la bonne voie ? Qu'elle avait peut-être envie d'autre chose ?

Il décrocha aussitôt. Énergique, en pleine forme, égal à lui-même.

Elle hésita.

– Je me demandais… je me demandais si vous auriez envie de passer prendre un café chez moi… ce soir.

Au moment où ces mots sortaient de sa bouche, elle s'aperçut qu'ils pouvaient prêter à confusion. Inviter un homme le soir, sans prévenir… Elle aurait voulu ajouter quelque chose, que ce n'était pas une proposition pour passer la nuit ensemble, mais elle se mordit les lèvres, espérant simplement qu'il comprendrait de lui-même.

– Avec grand plaisir, répondit-il du tac au tac.

Il était toujours prompt à prendre des décisions, pas le genre à s'embarrasser de détails ou à se noyer dans un verre d'eau. Autant de qualités que Hulda savait apprécier. Quoi qu'il en soit, c'était un grand pas dans leur relation ; elle ne l'avait jamais invité chez elle auparavant. Avait- elle eu honte de lui montrer son appartement ? Peut-être, oui – si l'on repensait à la maison d'Álftanes, avec ses baies vitrées et son grand jardin. Mais le problème venait surtout de ces remparts invisibles qu'elle avait dressés autour d'elle, ces défenses qu'elle avait eu du mal à abaisser pour se laisser approcher – jusqu'à ce soir, où son besoin désespéré de compagnie l'avait poussée à prendre le risque.

– Est-ce que je passe maintenant ? demanda-t-il.

– Oui, ce serait parfait. Si c'est possible pour vous.

Elle se sentait ridiculement vulnérable quand elle lui parlait. Cela ne lui ressemblait pas. En général, elle exerçait un contrôle sans faille sur tous les aspects de sa vie.

– Pas de problème. Vous habitez où ?

Elle lui donna son adresse et conclut :

– Quatrième étage, le nom est sur la porte.

– À tout de suite !

Et il raccrocha, sans même dire au revoir.

– Il était temps que vous m'invitiez, lança Pétur dès qu'elle lui ouvrit.

Plus vieux que Hulda de quelques années – il serait bientôt septuagénaire –, il portait fièrement son âge. Il ne faisait ni plus jeune ni plus âgé que ce qu'il était, même si sa barbe grise lui donnait un petit air de grand-père. Hulda ne put s'empêcher de se demander à quoi Jón aurait ressemblé à soixante-dix ans.

Sans même s'en apercevoir, elle se retrouva avec Pétur dans le salon. Il prit place dans le siège qu'elle préférait. Hulda s'agaça légèrement – le fauteuil de sa mère était son fauteuil – mais elle n'en dit rien. Après tout, elle était contente qu'il soit là, heureuse que quelqu'un ait envie de passer la soirée avec elle. Elle s'était habituée à la solitude, autant qu'il était possible, mais rien ne pouvait vraiment remplacer la compagnie d'un autre être humain. Elle avait parfois tenté de sortir seule déjeuner ou dîner au restaurant, mais s'était sentie gênée, embarrassée. Elle se contentait désormais de prendre ses repas à la cantine ou chez elle, seule.

Elle lui demanda s'il voulait un café.

– Merci, oui. Pas de lait.

Pétur était médecin. Il avait pris sa retraite anticipée à soixante ans, quand son épouse était tombée malade. Sans entrer dans les détails, il avait confié à Hulda qu'ils avaient profité de quelques années heureuses avant l'issue fatale. Elle n'avait pas besoin de plus d'informations. Elle n'avait aucune envie de l'obliger à revivre son chagrin et espérait qu'il se montrerait aussi compréhensif, en ne l'obligeant pas à rouvrir d'anciennes blessures. Elle s'était contentée de lui dire que Jón était mort brusquement, à cinquante-deux ans, avec cette conclusion évidente :

– Bien trop tôt.

Les manières décontractées de Pétur cachaient une volonté d'acier. Hulda devinait que cet alliage de qualités avait dû faire de lui un bon médecin. Il avait bien réussi dans la vie. Elle avait visité sa grande maison, dans le quartier cossu de Fossvogur. Les pièces étaient vastes, pourvues de hauts plafonds, et le salon orné d'un mobilier élégant, de tableaux, d'étagères remplies de livres et même d'un piano à queue trônant au beau milieu, à la place d'honneur. Depuis qu'elle avait découvert cet endroit, elle s'était prise à rêver d'y vivre, de passer ses journées lovée dans le ravissant salon de cette maison imprégnée de culture. Elle pourrait lâcher son appartement sinistre, se servir de l'argent de la vente pour régler ses dettes et profiter d'une retraite confortable dans une grande maison, dans un joli quartier. Mais évidemment ce n'était pas la raison principale. La vérité c'était qu'elle se sentait bien en compagnie de Pétur et elle se rendait peu à peu compte qu'elle était sans doute prête à passer à autre chose, à s'engager de nouveau après toutes ces années de célibat.

– Quelle journée j'ai passée ! dit-elle avant d'aller chercher dans la cuisine le café préparé à l'avance.

Elle revint dans le petit salon et tendit sa tasse à Pétur. Il la remercia d'un sourire. Il attendait la suite avec une expression à la fois patiente et empathique. Il avait exercé comme chirurgien, mais il aurait tout aussi bien pu faire un excellent psychanalyste tant il semblait doué pour écouter.

Quand le silence devint trop gênant, elle reprit :

– Je prends ma retraite – j'arrête de travailler.

– C'était prévu, non ? Ce n'est pas aussi terrible que ça en a l'air. Vous aurez plus de temps pour vos loisirs, plus de temps pour apprécier la vie.

À l'évidence, c'était un domaine dans lequel il excellait. La jalousie la pinça fugacement.

– C'était prévu, oui, dit-elle gravement. Mais pas si tôt.

Mieux valait être sincère, ne pas chercher à enjoliver la réalité.

– Pour parler franchement, on m'a donné mon congé. Il me reste deux semaines. Ils ont engagé un gamin pour me remplacer.

– Bon Dieu ! Et vous vous êtes laissé faire ? Ça ne vous ressemble pas.

– Eh bien…

Mentalement, elle se fustigea de n'avoir pas été plus combative quand Magnus lui avait annoncé la nouvelle.

– … j'ai quand même réussi à arracher à mon chef une dernière enquête à boucler.

– Ah, je vous reconnais bien là ! Quelque chose d'intéressant ?

– Un meurtre… Enfin, je crois.

– Vous êtes sérieuse ? Deux semaines pour résoudre un meurtre ? Vous n'avez pas peur que ce ne soit trop juste et que cette histoire ne continue de vous tourmenter quand vous serez à la retraite ?

Elle n'y avait pas pensé. Pétur visait juste.

– Trop tard pour faire marche arrière, commenta-t-elle sans conviction. De toute façon, je ne suis pas encore sûre à cent pour cent qu'il s'agisse d'un meurtre.

– Vous pouvez m'en dire un mot ? demanda Pétur en prenant soin d'avoir l'air sincèrement intéressé.

– Une jeune femme retrouvée morte dans une crique, à Vatnsleysuströnd.

– Récemment ?

– Il y a plus d'un an.

Il fronça les sourcils.

– Ça ne me dit rien…

– Les médias ne s'y sont pas vraiment intéressés à l'époque. C'était une demandeuse d'asile.

– Je suis sûr que je n'en ai jamais entendu parler.

Comme beaucoup de gens, pensa Hulda.

– Elle est morte comment ? reprit-il.

– Elle s'est noyée. Mais son corps portait des marques de coups. L'inspecteur qui a mené l'enquête – et qui n'est pas un de nos meilleurs éléments, je précise – n'en a pas tenu compte et a conclu à un suicide. Mais je n'y crois pas trop.

Fière des progrès accomplis dans la journée, elle livra à Pétur un bref récit de ses découvertes. À sa grande déception, son ami paraissait sceptique.

– Vous êtes certaine, demanda-t-il d'un ton hésitant, vraiment certaine que vous n'en faites pas une affaire plus importante qu'elle ne l'est réellement ?

Sa franchise cueillit Hulda à froid. Mais une partie d'elle-même lui en sut gré.

– Non, je n'en suis pas absolument certaine. Mais j'ai l'intention de tirer cette histoire au clair.

– C'est tout à votre honneur.

Il se faisait tard. Ils étaient passés du café au vin rouge deux heures plus tôt. Pétur était resté plus longtemps que prévu, mais Hulda était loin de s'en plaindre. Elle appréciait sa compagnie. Les nuages de pluie s'étaient finalement dissipés, laissant place au soleil. La clarté trompeuse du ciel démentait l'heure tardive.

Ce n'était pas elle qui avait eu l'idée d'ouvrir du vin. Après avoir bu son café, Pétur lui avait demandé si elle voulait bien lui servir une goutte de cognac. Elle s'était excusée de ne pas en avoir, mais s'était rappelé qu'une ou deux bouteilles de rouge dormaient quelque part.

– Ça me plaît ! C'est bon pour le palpitant !

Qui était-elle pour contester la parole d'un médecin ?

– Je suis surpris de ne pas voir de photos de famille chez vous, remarqua prudemment Pétur, comme pour tâter le terrain.

Surprise, Hulda répondit sur un ton qui se voulait naturel.

– Je n'ai jamais trop aimé ça, je ne sais pas pourquoi.

– Je comprends, enfin, j'imagine. En ce qui me concerne, j'ai sûrement trop de photos de mon épouse chez moi. C'est peut-être pour cette raison que j'ai mis si longtemps à me remettre de sa disparition. Je suis bloqué dans le passé, littéralement.

Il soupira longuement. Ils venaient d'attaquer la seconde bouteille.

– Et vos parents, vos frères et sœurs ? Aucune photo d'eux non plus ?

– Je n'ai ni frères ni sœurs et…

Elle ne poursuivit pas tout de suite, mais Pétur attendait patiemment, sirotant son vin.

– … ma mère et moi n'avons jamais été particulièrement proches.

Elle avait l'impression de se justifier de l'absence de photos, mais rien ne l'obligeait à fournir des excuses.

– Elle est morte il y a longtemps ?

– Quinze ans. Elle n'était pas si vieille, seulement soixante- dix ans.

Et Hulda s'aperçut avec effroi qu'elle aurait bientôt le même âge – plus que cinq ans. Autant dire demain : les cinq dernières années étaient passées en un éclair…

– Elle ne devait pas être très vieille quand elle vous a eue, remarqua Pétur après un rapide calcul mental.

– Elle avait vingt ans. Mais à l'époque, ça n'était sans doute pas si jeune que ça.

– Et votre père ?

– Je ne l'ai jamais connu.

– Vraiment ? Il est mort avant votre naissance ?

– Non. C'est juste que je ne l'ai pas connu. C'était un étranger.

Ses pensées plongèrent dans le passé.

– À vrai dire, une fois, il y a des années de ça, je suis partie en voyage pour essayer de le retrouver. Mais c'est une autre histoire…

Elle sourit poliment à Pétur. Elle voulait bien jouer le jeu, mais elle ne raffolait pas de ces questions personnelles. Nul doute qu'il s'attendait à ce qu'elle l'interroge à son tour sur sa famille, son passé. Une façon de se rapprocher l'un de l'autre… Mais ça n'arriverait pas. Pas tout de suite. Elle avait le sentiment d'en savoir suffisamment sur lui pour l'instant : il avait perdu sa femme et vivait seul, dans une maison bien trop vaste pour lui. Plus important encore : il semblait être un homme digne et bon, honnête et fiable. Hulda n'en demandait pas plus.

Il rompit le silence :

– Oui. Nous sommes deux âmes solitaires. Certaines personnes prennent cette décision très tôt dans leur vie. Celle d'être seul, je veux dire. Dans notre cas, le destin nous l'a imposé.

Il marqua une pause.

– Vous vous rendez compte ? Avec ma femme, nous avons sans cesse repoussé le projet d'avoir des enfants, jusqu'à ce qu'il soit trop tard pour changer d'avis. À la fin, nous nous demandions souvent si ça avait été une erreur.

Puis il ajouta :

– Je ne crois pas aux regrets. La vie est comme elle est. Elle suit son cours, d'un côté ou de l'autre. Mais ceci dit, j'aurais vraiment préféré ne pas me retrouver si seul à ce stade de la mienne.

Hulda ne s'était pas attendue à tant de franchise. Elle ne savait pas quoi répondre. Après un nouveau silence, Pétur poursuivit.

– Je ne sais pas si pour vous, ça a été un choix ou non de ne pas avoir d'enfant, je ne veux pas vous paraître indiscret, mais ce genre de choses, ces décisions-là ont un impact profond sur nos vies. Elles sont importantes, très importantes. Vous n'êtes pas de mon avis ?

Hulda acquiesça et jeta discrètement un coup d'œil à la pendule, puis à la bouteille. Pétur comprit tout de suite : le moment était venu de se souhaiter une bonne nuit.

11

Elle était très occupée, bien sûr, mais toujours ponctuelle quand il s'agissait de rendre visite à sa fille. Deux fois par semaine, sans faute, sans jamais rater un seul rendez-vous. Même sous d'épaisses chutes de neige ou quand la tempête faisait rage. Même malade, puisque la vitre entre elles lui garantissait qu'elle ne contaminerait pas son enfant. À deux reprises, ces visites l'avaient mise en difficulté vis-à-vis d'employeurs peu compréhensifs ; la seconde fois, elle avait donné sa démission. Sa fille passait avant tout.

Au moins, sur le plan physique, l'enfant était en pleine forme. À l'approche de son deuxième anniversaire, elle était en bonne santé, plutôt grande pour son âge. Seule une lueur lointaine dans son regard inquiétait sa mère.

Sans doute sentait-elle, en son for intérieur, que trop de temps avait passé. Que ces visites ne menaient à rien. Que, pendant ces deux années de séparation, le fil invisible reliant la mère à sa fille avait fini par se rompre. Peut-être cela avait-il été le cas dès le début, le jour où, contre son gré, elle avait remis sa fille à des mains inconnues. Ses propres parents, horrifiés qu'elle ait pu avoir un enfant hors mariage et désireux d'étouffer le scandale, avaient voulu faire au mieux. Et ils l'avaient confrontée à un choix terrible : faire adopter son enfant – pour elle, c'était hors de question –, ou la placer dans une institution pour nourrissons – « pour commencer ».

Elle vivait chez ses parents quand sa fille était née ; elle n'avait pas les moyens de se trouver un appartement. Le choix s'était imposé de lui-même. La seconde solution avait semblé être le moindre mal.

Après avoir été au bout de sa scolarité obligatoire, elle avait arrêté les études. Elle se rendait bien compte qu'à présent il était trop tard pour y remédier. De toute façon, ses parents ne l'avaient jamais poussée à en faire. Ils plaçaient toutes leurs espérances sur les épaules de son frère cadet, qui étudiait à l'université de Reykjavík.

Mais les choses allaient changer. Elle travaillait depuis deux ans, mettait de l'argent de côté, et même si elle habitait toujours chez eux, elle ne tarderait pas à avoir de quoi s'installer seule, dans son propre appartement. Alors, elle pourrait réaliser son rêve le plus cher : récupérer sa fille.

Ses rapports avec ses parents étaient de plus en plus tendus. Au début, trop choquée pour se défendre quand elle était tombée enceinte accidentellement, elle s'était laissé malmener. Aujourd'hui, elle redoutait de ne jamais pouvoir leur pardonner de l'avoir éloignée de son enfant. Avec le recul, elle comprenait de moins en moins comment elle avait pu accepter pareil arrangement.

Elle espérait seulement que sa petite fille trouverait la force d'âme de lui accorder, elle, son pardon.

12

Après avoir pris congé de Pétur d'un chaste baiser sur la joue, Hulda retourna au salon et reprit possession du vieux fauteuil. Elle était trop agitée pour aller se coucher tout de suite et se retrouver dans le noir, tête à tête avec ses pensées qui tournaient en boucle, chacune plus perturbante que l'autre, prêtes à se ruer sur elle.

Et la première d'entre elles concernait la jeune femme russe, même si Hulda avait réussi à la repousser au fond de son esprit pendant qu'elle buvait avec Pétur. Le vin ! Bonne idée : il en restait un fond. Pas question de le laisser se perdre. Elle attrapa la bouteille et la vida dans son verre. La jeune russe… Penser à elle la ramenait inévitablement à son point de départ : les circonstances dans lesquelles la mort de la fille avait atterri sur son bureau. Aujourd'hui, elle s'était ni plus ni moins fait virer. On lui avait demandé de vider son bureau, de dégager ; on l'avait balayée comme un vulgaire détritus.

Pour se changer les idées, elle se mit à penser à Pétur, mais ça n'était pas beaucoup mieux. Elle ne voulait pas nourrir trop d'espoir à propos de leur relation. La visite s'était bien passée, maintenant ils devaient penser à la suite. Elle ne voulait pas le perdre, et elle était paniquée à l'idée de tout faire rater si elle prenait trop son temps. Si l'on était réaliste, combien d'autres occasions risquaient de se présenter à elle ?

Prise au piège de ce dilemme, elle fixait son verre d'un air absent en avalant de temps en temps quelques gouttes, jusqu'à ce que, surgissant des abysses obscurs de son esprit, apparaissent deux êtres auxquels elle ne voulait pas penser et qui la hantaient pourtant sans relâche : Jón et sa fille.

Très vite pourtant, elle sentit ses paupières s'alourdir et comprit qu'elle s'assoupissait. Rassurée, elle alla se mettre au lit en sachant qu'elle allait s'endormir rapidement, sans être tourmentée par ses démons intimes.

Pour une fois, elle éteignit son réveil sur la table de chevet, ce réveil qui, fidèlement, l'avait tirée du lit à six heures tous les jours de la semaine, presque sans exception, pendant tant d'années. Eh bien, cette fois, la pendule pourrait se reposer, et Hulda aussi. Elle passa également son téléphone en mode silencieux, ce qu'elle faisait rarement : elle voulait être joignable jour et nuit pour son travail. On ne pouvait pas toujours (voire jamais) faire entrer une enquête de police complexe dans les horaires fixes de bureau.

Elle ferma les yeux et laissa ses pensées dériver dans le monde des rêves.

JOUR 2

1

À son réveil, Hulda fut stupéfaite de constater qu'il était presque onze heures. Elle ne se rappelait pas la dernière fois où elle s'était réveillée si tard. La lumière était restée allumée, comme toujours. Elle ne pouvait pas dormir dans le noir.

Incrédule, elle vérifia de nouveau sa pendule, mais il n'y avait aucun doute. La fatigue accumulée avait fini par la rattraper. Elle resta étendue un moment, savourant le fait que, pour une fois, elle n'était pas pressée. Des bribes de rêves en profitèrent pour lui revenir en mémoire. Elena était en vie ; Hulda se voyait refaire le chemin jusqu'à Njardvík, jusque dans la petite chambre inconfortable du foyer. Elle avait du mal à visualiser tous les détails. Seule persistait l'impression d'un rêve désagréable. Sans comparaison bien sûr avec celui qui la hantait presque chaque nuit – un cauchemar si terrifiant qu'elle se réveillait parfois en sursaut, haletante. Et la terreur ne provenait pas des fantaisies de son imagination, mais au contraire de la précision avec laquelle Hulda revivait certains événements réels qu'elle n'oublierait jamais, quels que soient ses efforts.

Elle se redressa dans son lit et respira profondément pour dissiper ces fantômes. À présent, elle avait besoin d'un bon café serré.

Elle allait peut-être s'habituer à ne plus travailler, finalement. Aucun engagement, pas de sonnerie de réveil le matin. Une vie, certes monotone, mais douillette de retraitée au quatrième étage d'un immeuble.

Le seul hic, c'était qu'elle n'avait aucune intention de s'y habituer.

Elle avait besoin d'un but dans la vie. Et pour l'heure, il lui fallait résoudre l'affaire de la mort d'Elena, ou du moins tout faire pour y arriver. Une victoire comme celle-là lui permettrait de partir, auréolée de gloire. Mais, plus encore, elle ressentait le besoin irrépressible de rendre justice à cette pauvre fille. Ensuite seulement, elle pourrait envisager de s'installer avec quelqu'un, en finir avec la solitude et peut- être – peut-être ! – Pétur était-il cet homme-là.

Elle ne regardait jamais son téléphone avant son premier café, pour ne pas en être l'esclave, contrairement aux jeunes générations obsédées par leur smartphone. Ses jeunes collègues de la criminelle avaient du mal à s'arracher à leur écran ; Hulda aurait préféré ne jamais avoir à faire avec le sien.

Aussi fut-elle surprise de découvrir que quelqu'un avait essayé de la joindre à deux reprises. Le numéro de téléphone ne lui disait rien. Un appel au service concerné lui apprit qu'il provenait du foyer où s'était déroulé son rêve.

Ce fut un jeune homme qui décrocha.

– Bonjour, Hulda Hermannsdóttir à l'appareil. Je suis de la police.

– Oui, bonjour.

– Quelqu'un de chez vous a essayé de me contacter vers huit heures ce matin depuis ce numéro.

– Ah ouais ? Peut-être Dora ? Enfin, ça pourrait être n'importe qui. Mais pas moi, en tout cas.

Ses marmonnements rendaient ses propos presque inaudibles.

– Comment ça, n'importe qui ?

– Eh bien, vous savez, tous les résidents ont accès à ce téléphone. Enfin, pour des appels ici, en Islande. Les numéros à l'international sont bloqués, sinon la facture exploserait !

Il rit. Hulda n'était pas d'humeur.

– Il n'y a pas un moyen de trouver qui m'a appelée ? Pouvez-vous me passer Dora au moins ?

– Désolé, pas possible.

– Pourquoi ça ?

Hulda commençait à s'impatienter. À l'évidence, un demi-café ne lui suffisait pas.

– Elle était de garde cette nuit, du coup, elle dort. Ça ne servirait à rien d'essayer de l'appeler, elle a éteint son portable.

– Mais c'est une urgence ! protesta Hulda, bien qu'au fond, rien ne lui permît de le penser. Donnez-moi son numéro de fixe chez elle, d'accord ?

Le jeune homme éclata de rire.

– Son fixe ? Plus personne n'a de fixe, de nos jours !

– Eh bien, vous pouvez au moins lui demander de me rappeler ?

– OK, j'essaierai de m'en souvenir. Au numéro qui s'affiche ?

– Oui.

C'est alors qu'un détail lui revint, au dernier moment.

– Vous avez une femme qui est originaire de Syrie en ce moment au foyer. Elle est là ?

– De Syrie ? Je ne sais pas. Je suis nouveau, vous savez ? Je ne connais encore personne. Dora pourra vous renseigner mieux que moi.

Hulda abandonna.

– Peu importe, je rappellerai plus tard, répondit-elle sèchement.

– OK. Du coup, pas la peine que je lui passe le message… pour qu'elle vous téléphone ?

– Bon Dieu, mais si, évidemment ! Merci.

Hulda raccrocha, exaspérée, et se resservit un café.

2

Première journée dans leur nouveau chez-eux : un sous-sol tellement minuscule que le qualifier d'appartement était un peu exagéré. Peu importait, c'était tout de même un grand jour.

Enfin ! Elle avait mis le temps, mais elle quittait le domicile familial. Elle avait pris congé de ses parents dans de grandes embrassades, tout en se jurant secrètement de ne jamais revenir. Puis elle était allée récupérer sa fille, sans être vraiment certaine qu'elle serait bien reçue, ni même autorisée à l'emmener.

Des inquiétudes sans fondement. La responsable lui avait juste fait remarquer qu'un séjour de deux ans était inhabituel : d'ordinaire, les enfants passaient seulement quelques mois dans l'établissement. Elle l'avait aussi prévenue que sa fille mettrait sans doute un peu de temps à s'accoutumer au changement. Puis elle leur avait souhaité bonne chance à toutes les deux. C'est une gentille petite fille, avait-elle conclu.

De fait, Seigneur, comme cela avait été dur ! L'enfant avait hurlé, hurlé, refusant que sa mère la prenne, refusant de partir avec elle. Pas vraiment les retrouvailles dont elle avait rêvé. Dont elle rêvait depuis si longtemps.

Au moment de partir, elle avait eu droit à un dernier conseil.

– Elle a parfois du mal à trouver le sommeil.

– Du mal à s'endormir ? Et vous savez pourquoi ?

La femme avait eu l'air indécise, comme si elle se demandait ce qu'elle pouvait révéler du séjour que l'enfant avait passé sous leur responsabilité. Enfin, elle avait expliqué à contrecœur :

– Un peu plus tôt cette année, nous avons accueilli un enfant qui…

Elle hésitait.

– … apparemment, il s'amusait à mettre le doigt dans les yeux des autres enfants pendant qu'ils dormaient.

Un frisson avait saisi la mère.

– Au début, on pensait que c'était juste un acte isolé, mais très vite, on a dû intervenir. Comme votre fille est une enfant sensible, elle a été perturbée plus que d'autres… Depuis, elle a des difficultés pour dormir. Trop peur du noir pour fermer les yeux. Ça n'a vraiment pas été simple.

Ce premier jour, la petite fille ne réussit pas à s'habituer à son nouvel environnement, ni à la présence de sa mère. Elle refusa de lui parler ou même de croiser son regard. Au début, elle ne voulait rien manger, mais elle finit par céder. Et inévitablement, quand arriva le soir, elle refusa d'aller dormir. Les berceuses ne la calmèrent qu'un temps, et dans son désespoir, la jeune femme se demanda si elle n'avait pas commis une terrible erreur. Peut-être aurait-elle mieux fait de donner directement son bébé à adopter au lieu de ce compromis qui faisait d'elle une mère seulement de nom. Elle n'était au fond guère plus qu'une femme qui apparaissait régulièrement de l'autre côté de la vitre, cherchait ses mots, articulant des banalités qui ne remplaceraient jamais le véritable amour et le sentiment de sécurité.

La petite fille, malgré tous ses efforts, ne put lutter éternellement contre la fatigue. Sa mère finit par réussir à la faire dormir en laissant une lumière allumée dans sa chambre. Épuisée, elle-même s'étendit aux côtés de sa fille. Elle ne s'était jamais sentie aussi heureuse qu'en cet instant.

3

Hulda était surprise de n'avoir aucune nouvelle de Magnus. Après le savon que lui avait passé Alexander la veille, elle s'attendait à recevoir un appel tout aussi virulent de son chef. Elle ne voyait que deux explications possibles à ce silence. La première : Magnus avait décidé d'ignorer les lamentations d'Alexander et de la laisser poursuivre tranquillement l'enquête – ce qui était hautement improbable, ces deux-là s'entendaient comme larrons en foire. Si Alexander s'était plaint, Magnus n'aurait pas manqué de prendre sa défense. La seconde explication, plus crédible, était qu'Alexander avait épargné ses foutaises à Magnus parce que, au fond de lui, il savait qu'il avait foiré son enquête. Il devait juste prier pour que Hulda ne découvre aucun nouvel indice et que l'affaire sombre gentiment sans laisser de traces. Elle se demandait comment Alexander avait su qu'elle s'intéressait à l'affaire, mais l'explication la plus probable était qu'Albert lui en avait parlé. Tous deux se connaissaient – du temps où Albert travaillait pour la police.

La non-intervention de Magnus l'arrangeait, mais elle ne pourrait pas compter dessus trop longtemps. Il lui avait octroyé deux semaines pour travailler sur l'affaire, mais le risque qu'il lui demande d'abandonner avant était bien réel. Elle s'attendait à recevoir l'ordre de quitter son bureau du jour au lendemain, aussi était-il vital d'exploiter au mieux le temps qui lui restait. Sa première mission serait de suivre la piste indiquée par Bjartur, l'interprète. Pour tout ce qui concernait le trafic humain et le commerce du sexe, le puits de science du service de police s'appelait Thrandur. Originaire des îles Féroé, il se nommait en réalité Trondur, mais il avait toujours vécu en Islande et utilisait plutôt la version locale de son patronyme. Hulda n'avait jamais entretenu d'affinité particulière avec lui, même s'il s'était toujours montré très poli envers elle. Elle le trouvait trop obséquieux. Mais elle savait que son opinion sur lui, comme sur ses autres collègues masculins, était en partie influencée par le fait qu'elle n'appartenait pas à leur petit groupe. Elle lui reconnaissait au moins une chose : c'était un inspecteur compétent. Méticuleux et intelligent, il obtenait en général d'assez bons résultats. Tout le contraire d'Alexander.

Comme Thrandur ne répondait pas sur son poste fixe, elle essaya son portable. Après d'interminables sonneries, il décrocha.

– Thrandur à l'appareil.

Sa voix était distante. Hulda se sentit blessée. Elle n'était apparemment pas enregistrée dans la liste de ses contacts, en dépit de toutes ces années passées à travailler ensemble.

– Thrandur, c'est Hulda. Je peux passer te voir rapidement ? J'ai quelques questions à te poser…

– Ça alors, Hulda ! Ça fait une éternité.

Sa politesse lui parut forcée.

– J'ai pris ma journée, en fait, continua-t-il. Un rab de congés de l'été dernier… Ça peut attendre demain ?

Elle réfléchit. Chaque minute comptait. Elle devait absolument avancer dans son enquête aujourd'hui et Thrandur constituait son meilleur atout à cette heure.

– Je suis désolée, c'est vraiment urgent.

– OK, je t'écoute.

– Je ne peux pas venir te voir, plutôt ?

Elle savait que ce serait plus efficace : s'il lui mentait, elle aurait de meilleures chances de le deviner dans son attitude ou ses gestes.

– C'est que… je joue au golf, là.

Ça ne la surprit pas : Thrandur était le Tiger Woods de la brigade.

– Où ça ?

– Urridavellir.

Cela ne lui disait rien.

– Le club à Heidmörk, ajouta-t-il comme elle ne réagissait pas.

Il lui indiqua le trajet.

– Je suis là dans quelques minutes, mentit-elle.

Elle était bien consciente que sa vieille Skoda ne serait pas à la hauteur du défi.

Alors qu'elle sortait de la ville en direction du sud-est, ses pensées dérivèrent vers Pétur. Elle se remémora leur soirée. Comme ce genre de compagnie lui avait manqué ! Elle réfléchit à ce qu'elle lui avait raconté de son passé et, plus encore, à ce qu'elle lui avait tu. Pour le moment. Elle aurait tout le temps d'y revenir…

Passé la périphérie de Reykjavík, le parc naturel de Heidmörk l'accueillit dans toute la splendeur de sa verdure printanière. Conifères, bouleaux et broussailles semblaient pris entre la morosité de l'hiver et la gloire de l'été. Dans la jungle de béton qui ne cessait de s'étendre de Reykjavík, Heidmörk offrait une oasis de verdure où les chemins de randonnée sinuaient entre les arbres, pour le plus grand plaisir des familles qui les empruntaient le week-end.

Les renseignements de Thrandur étaient précis et la longue carrière de Hulda dans la police lui avait donné le sens du détail ; elle n'eut aucune difficulté à trouver le golf. Malgré les virages tortueux de l'étroite route gravillonnée qui masquaient toute visibilité sur la circulation en sens inverse, Hulda et la Skoda parvinrent à destination en un seul morceau.

Thrandur l'attendait sur le parking, tiré à quatre épingles dans son élégante tenue de golfeur – pull à losanges et casquette à visière –, un chariot débordant de clubs à côté de lui. Hulda n'avait aucun point de comparaison pour juger de son allure, mais compte tenu de la passion monomaniaque de Thrandur pour ce sport, elle en conclut qu'il avait forcément ce qui se faisait de mieux.

– Je n'ai pas beaucoup de temps, dit-il immédiatement, incapable de contenir l'impatience dans sa voix.

Comme pour mieux se faire comprendre, il jeta un coup d'œil à la grande pendule au fronton du club-house.

– De quoi tu veux me parler ? reprit-il.

Hulda n'était pas habituée à se faire bousculer de la sorte, mais de toute évidence, Thrandur ne laisserait personne se mettre entre lui et ses dix-huit trous. Elle alla droit au but :

– Ça concerne cette fille russe morte il y a plus d'un an. Elena.

– Ça ne me dit rien, j'en ai peur. Désolé, j'aurais bien voulu t'aider.

Même terriblement pressé, il était la courtoisie personnifiée.

– Elle a débarqué en Islande comme demandeuse d'asile et on l'a retrouvée morte sur la plage à Vatnsleysuströnd. L'enquête de départ a été un peu sommaire et je viens d'apprendre qu'elle aurait travaillé comme prostituée. C'est de cela que je voulais te parler.

Elle n'avait pas quitté Thrandur de l'œil, guettant la moindre réaction. Et elle venait de piquer son intérêt. Quand il lui répondit, son ton avait changé, plus vague et fuyant :

– Je… je ne sais rien de tout ça. Je n'ai jamais entendu parler de cette Elena.

Puis, comme après coup :

– Désolé.

– En même temps, ce n'est pas vraiment nouveau ? insista Hulda. Que des femmes viennent chez nous sous prétexte de demander asile alors qu'elles font en réalité partie d'un réseau de prostitution ?

Avant de partir, elle s'était renseignée rapidement sur internet, suffisamment pour soutenir cette assertion et se permettre de réclamer des précisions à son collègue.

– Eh bien, oui, ça arrive, j'imagine, mais ça ne figure pas dans nos priorités en ce moment. J'ai l'impression qu'on t'a refilé des infos tendancieuses…

– Si une chose pareille se produisait, insista Hulda, tu aurais des noms à me donner ? Des types qui vivent ici, en Islande, et qui pourraient être impliqués dans ce genre de trafic ?

– Non, rien qui me vient, là.

Il avait répondu un peu trop rapidement, sans même prendre le temps d'y réfléchir. Comme s'il préférait qu'elle ne s'aventure pas plus loin dans ses questions.

– C'était peut-être un truc sans lendemain : quelqu'un l'a amenée dans le pays puis s'est envolé dans la nature. C'est le scénario le plus probable, tu crois pas ?

– Possible, dit-elle lentement. Dans ce cas, qui serait le meilleur candidat ? Si quelqu'un peut le savoir, c'est forcément toi.

Elle aussi pouvait se montrer obséquieuse. Et obstinée.

– Je suis navré, Hulda, je n'en ai pas la moindre idée. Ce n'est pas aussi simple que tu as l'air de le croire. Heureusement, le crime organisé n'a pas vraiment ses habitudes en Islande. Écoute, il faut vraiment que j'y aille, là. J'ai payé mon green-fee, tu comprends…

Elle acquiesça, même si elle n'avait aucune idée de ce que ça voulait dire.

– Bon, merci quand même, Thrandur. Ton avis est précieux.

– Je t'en prie, Hulda. Quand tu veux.

Et il ajouta, avec ce qu'elle perçut comme une pointe de sarcasme :

– Profite bien de ta retraite !

Elle l'observa tirer son chariot sur le chemin qui menait à une butte où l'attendaient trois autres joueurs. C'était une journée idéale : le ciel était d'un bleu pur, sans nuages. Un spectacle voluptueux pour tous ces yeux que l'hiver lugubre avait fait souffrir, même si l'air avait encore quelque chose de mordant.

Apparemment, c'était à Thrandur de swinguer le premier – à supposer que ce soit le bon terme. Il sortit un club de son sac puis, remarquant que Hulda l'observait depuis le parking, lui lança un sourire gêné. Il arrêta son geste, comme s'il attendait qu'elle s'en aille. Elle agita la main sans bouger d'un pouce, jouissant de son malaise. Il détourna le regard, lui tourna le dos et se mit en position, club dressé dans les airs comme une arme ; puis il abattit son club qui percuta la balle avec une violence impressionnante. Elle vola au-delà des limites du fairway et atterrit de l'autre côté de la clôture en barbelés. À en juger par les réactions de Thrandur et de ses partenaires de jeu, ce n'était pas vraiment la trajectoire espérée.

4

La petite fille restait prostrée dans sa coquille, ne laissant pas échapper d'autres émotions que ses pleurs incessants. Sa mère refusait de baisser les bras. Il fallait trouver un moyen de franchir ce gouffre qui les séparait. Elle avait l'impression que son enfant cherchait à la punir de son absence, et c'était terriblement injuste : elle n'avait pas eu le choix. Et maintenant, elle se retrouvait seule avec sa fille, tellement rongée d'angoisse pour leur avenir qu'elle parvenait à peine à dormir la nuit. Comment allait-elle réussir à combiner son travail et l'éducation d'une enfant ? Presque toutes les femmes qu'elle connaissait étaient mariées, mères au foyer, et avaient largement le temps de s'occuper de leur intérieur et de leur progéniture. Ce n'était pas seulement la société qui était contre elle : même ses prétendues amies ne cachaient pas leur désapprobation devant sa condition de mère célibataire. Quant à ses parents, toujours persuadés que l'enfant aurait dû être confié à une famille adoptive, ils avaient très mal réagi quand elle avait décidé de vivre seule ; ils gardaient leurs distances. La plupart du temps, elle avait le terrible sentiment de ne trouver de l'aide nulle part.

Certains auraient vu redoubler leur combativité face à cette adversité ; elle se sentait usée chaque jour un peu plus.

Quand elle travaillait, elle ne pouvait pas faire autrement que de confier sa fille à la garde d'une nourrice qui habitait le quartier, une femme froide et sévère aux principes éducatifs d'arrière-garde. Chaque jour, c'était un crève-cœur de laisser sa petite fille dans l'appartement étouffant de la nourrice, un sous-sol qui empestait la cigarette. Mais elle devait travailler, sans quoi elle ne pourrait subvenir ni à ses besoins ni à ceux de son enfant ; et cette femme était la seule dans le voisinage qu'elle avait les moyens de se payer.

Tous les matins, laisser sa fille était affreusement douloureux. Elle savait qu'elle la retrouverait le soir, mais chaque adieu semblait rejouer la scène de leur séparation originelle. Elle priait pour que la petite fille ne ressente pas la même chose. L'enfant pleurait chaque fois, sans que sa mère sache si c'était lié à son départ.

Elle se répétait que tout finirait par s'arranger, que bientôt leur relation prendrait un cours normal. C'était tout ce qu'elle souhaitait. Mais au plus profond d'elle-même, elle savait que ce ne serait jamais le cas. La blessure était irréparable.

5

Thrandur ne lui avait pas tout dit, c'était clair, mais Hulda ne se laisserait pas décourager. Parmi ses rares amis dans le métier, une personne avait les contacts nécessaires dans le monde glauque où Thrandur évoluait.

Hulda n'avait aucune envie de remettre les pieds au commissariat. Elle proposa à son amie de la retrouver dans un café du musée Kjarvalsstadir, un peu en dehors de la ville.

Cette enquête l'occupait décidément beaucoup. Si elle s'en sentait le devoir vis-à-vis d'Elena, elle n'était pas dupe : c'était aussi un moyen de refouler l'atroce sensation de rejet qui la submergeait chaque fois qu'elle revivait sa conversation avec Magnus.

Le café était presque désert à l'exception d'un jeune couple – des touristes, à en juger par leurs sacs à dos et leur appareil photo – qui attaquait des parts de tarte aux pommes. Leur amour sautait aux yeux, comme Jón et elle à l'époque… Elle n'avait pas été facile à conquérir, mais elle était tombée profondément amoureuse de lui, jadis, et ce souvenir lui procurait encore une douleur aiguë. Le sentiment qu'elle ressentait pour Pétur n'avait rien de comparable, et c'était très bien comme ça : elle l'appréciait sincèrement et pouvait s'imaginer vivre à ses côtés. C'était amplement suffisant. Elle avait peut-être perdu la faculté d'aimer. Peut-être ? Non, c'était une certitude. Elle savait précisément quand cela s'était produit.

La tarte aux pommes avait l'air tentante. Hulda en commanda une part. Elle avalait la dernière bouchée quand son amie entra dans le café. Karen était de vingt ans sa cadette mais elles s'étaient toujours bien entendues. Hulda l'avait prise sous son aile, pas de façon maternelle – elle n'aurait jamais pu la considérer comme sa fille – mais plutôt comme un professeur avec son élève. À travers Karen, elle se revoyait plus jeune. Elle avait entrepris de la guider dans le monde labyrinthique de la hiérarchie patriarcale policière. Karen s'était révélée une élève douée. Elle était bien partie pour grimper les échelons, saisir des opportunités et occuper des postes dont son mentor s'était contentée de rêver. Hulda avait observé l'ascension fulgurante de sa protégée avec une fierté non dépourvue de jalousie. Une petite voix en elle demandait : Et toi, pourquoi n'as-tu pas su te hisser jusque-là ?

À cette question elle n'avait trouvé aucune réponse satisfaisante. Certes, toutes sortes de facteurs avaient joué, notamment la perception des femmes à l'époque, mais la vérité était qu'elle avait toujours eu du mal à se lier aux autres. Elle gardait toujours une distance avec ses collègues et en avait payé le prix toute sa carrière.

– Hulda, ma chérie, comment ça va ? C'est vrai que tu nous quittes ? Tu es déjà partie ?

Karen se glissa sur la chaise en face d'elle.

– Désolée, mais je ne pourrai pas rester longtemps… les urgences au boulot, tu sais ce que c'est, ajouta-t-elle.

Karen avait travaillé avec Thrandur sur les affaires de mœurs, mais à présent, elle était passée à l'échelon supérieur.

– Tu veux un café ? demanda Hulda. Un peu de gâteau, peut-être ?

– Pas de gâteau, j'évite le gluten en ce moment. Mais un café, avec plaisir !

Elle se releva.

– Je vais le chercher.

– Non, s'il te plaît, laisse-moi te…

– Non, pas question !

Hulda crut déceler une note de pitié dans sa voix. Comme si, maintenant qu'elle était à la retraite, offrir un café risquait de la mettre sur la paille… S'il y avait une chose que Hulda détestait par-dessus tout, c'était bien la pitié. Mais elle n'allait pas perdre son temps avec quelque chose d'aussi trivial ; elle n'insista pas.

– Il faudra qu'on déjeune de temps en temps toutes les deux, proposa Karen en revenant avec un cappuccino. Comme ça, on ne se perdra pas de vue. Je savais que tu étais plus vieille que moi, mais je ne pensais pas que c'était à ce point…

Étonnamment, Karen semblait considérer que c'était un compliment. Pas embarrassée pour un sou, elle lui adressa un sourire rayonnant. Peut-être s'imaginait-elle que Hulda serait flattée de faire plus jeune que son âge ?

Celle-ci essaya de passer outre son agacement, même si elle commençait à comprendre qu'elles n'avaient jamais vraiment été amies. Karen avait eu besoin de son soutien et de son amitié pour son évolution, et à présent qu'elle ne lui était plus utile, elle s'en débarrassait, purement et simplement. Hulda se maudit de ne pas s'en être aperçue plus tôt. Mais il fallait mettre ça de côté. Pour l'instant, elle avait besoin de Karen.

– Je prends ma retraite.

– Oui, j'ai appris ça. Tu vas nous manquer à tous, ma chérie, tu le sais.

– Oui, oui. Vous allez me manquer aussi. Quoi qu'il en soit, Magnus m'a demandé de régler une dernière affaire avant de partir. Une affaire pour laquelle il a besoin du regard d'un officier expérimenté.

Petit arrangement avec la vérité, mais Hulda commençait à s'y habituer.

– Vraiment ? Maggi t'a demandé ça ?

La surprise de Karen avait quelque chose de peu flatteur. Et Hulda n'aurait jamais osé appeler son chef « Maggi ».

– Oui. C'est au sujet d'une jeune femme, une Russe, qui est morte il y a un peu plus d'un an. Sans doute une prostituée, qui se faisait passer pour une réfugiée.

Le regard vide, Karen jeta un coup d'œil à sa montre et sourit mécaniquement. Son envie de partir était manifeste. Après un bref silence gêné, elle se lança :

– Désolée, je ne crois pas pouvoir t'aider sur ce coup-là. Je n'ai jamais entendu parler de cette histoire, et de toute façon, je suis passée à autre chose.

– Oui, j'en suis bien consciente, répondit calmement Hulda, mais je pensais que tu connaissais bien cet univers, les noms qui comptent, les visages… que tu étais au parfum. J'ai dû me tromper en pensant qu'on t'avait confié des affaires, disons, euh…

Pas besoin d'achever sa phrase. Elle avait d'abord pensé lui demander explicitement si oui ou non elle avait participé à des enquêtes importantes, mais finalement, le message passerait mieux ainsi.

Karen mordit aussitôt à l'hameçon.

– Non, non, tu avais raison. Vas-y, je t'écoute.

– Est-ce qu'il y a des types qu'on n'a pas réussi à arrêter et qui sont soupçonnés de… d'être impliqués dans ce genre de trafic ?

– Je ne connais pas vraiment la situation du moment, mais il y a un « candidat » auquel je pense tout de suite. Même si…

Karen ne finit pas sa phrase. Mais Hulda n'avait pas l'intention de la laisser s'en tirer comme ça. Elle attendit. Attendit encore. Elle était experte à ce petit jeu. Karen se sentit obligée de poursuivre.

– … même si on n'est pas arrivés à le coincer sur un truc précis. Il s'appelle Aki Akason, tu as peut-être entendu parler de lui ? Il travaille comme grossiste.

Ce nom lui disait quelque chose, mais elle ne voyait pas à quoi l'homme ressemblait.

– Jeune ou vieux ?

– La quarantaine. Il habite dans les quartiers ouest, une maison qui a dû lui coûter un paquet.

– La vente en gros, ça peut rapporter.

– Pas autant, crois-moi. Il est mouillé jusqu'au cou. Mais parfois, dans une enquête, on n'a rien de concret à se mettre sous la dent, alors on est obligé de laisser filer… Par pitié, ne fais pas de remous, d'accord ? Officiellement, le type est clean.

– Ne t'inquiète pas, je serai discrète. Tout ça est intéressant, mais je doute que ça me soit vraiment utile. Ce que je cherche, c'est un lien direct avec la fille qui est décédée.

– Je comprends. Mais bon…

Sur ce, elles se séparèrent, sans grande chaleur de part et d'autre. Malgré ce qu'elle avait dit, Hulda avait bien l'intention de rendre visite au grossiste. Au fond, qu'est-ce qu'elle avait à perdre ?

6

La vie avec sa fille avait fini par se mettre en place, mais pas vraiment comme elle se l'était imaginé. Le combat était incessant, usant. L'enfant était méchante, hargneuse et renfermée, même si sa mère faisait de son mieux pour lui donner tout l'amour et la tendresse dont elle était capable. La tension atteignait son paroxysme dans la soirée : la fillette avait tellement peur du noir qu'il fallait laisser la lumière de sa chambre allumée pour qu'elle s'endorme. Leur situation financière était précaire, elle aussi, et toutes ces inquiétudes concernant l'enfant, l'argent et leur avenir finissaient par peser effroyablement sur la mère.

Elle commençait à regretter de n'avoir jamais informé le père de sa fille de la situation. C'était un soldat américain basé en Islande juste après la guerre. Il était resté peu de temps, et leur relation avait duré moins longtemps encore – une ou deux nuits seulement. Quand elle s'était aperçue qu'elle attendait un enfant, elle avait passé des nuits entières à se demander si elle devait le contacter. Mais l'obstacle lui avait paru insurmontable. Elle avait honte : de ce qui s'était passé entre eux et de ce qui en avait résulté. Bien sûr, ils étaient tous deux responsables, mais lui était libre de rentrer tranquillement dans son pays tandis qu'elle resterait seule pour affronter les conséquences : une grossesse, un enfant illégitime, le regard de sa famille et de ses amis.

Maintenant, il était trop tard. Il était retourné en Amérique. Elle savait dans quel État il vivait, mais cela ne lui serait guère utile, car si incroyable que cela paraisse, elle ignorait son nom de famille. Il avait bien dû le lui dire à un moment, mais elle parlait un anglais rudimentaire et elle n'avait pas dû comprendre. De toute façon, tout cela aurait paru extravagant, à l'époque. Si elle n'avait pas été paralysée de honte, elle aurait pu essayer de lui parler quand elle avait compris qu'elle était enceinte – il était encore en Islande à ce moment-là. Mais se rendre à la base américaine de Keflavík et demander à parler à un soldat dont elle connaissait seulement le prénom alors que son ventre commençait déjà à s'arrondir… Seigneur, non, c'était au-dessus de ses forces.

À présent, elle pourrait se gifler d'avoir été aussi lâche. Elle aurait dû prendre son courage à deux mains pour le bien de l'enfant, sa fille dont la vie avait commencé si difficilement et qui ne connaîtrait sans doute jamais son père. Lequel, en retour, ne saurait jamais qu'il avait une ravissante fille, quelque part dans les froides étendues de l'Islande. Pour ce beau soldat, l'Islande n'avait été qu'une affectation parmi tant d'autres. Un seul séjour, mais qui lui avait permis de laisser un souvenir durable de sa présence.

Elle redoutait d'avoir un jour à l'expliquer à sa fille.

7

Hulda était encore au musée Kjarvalsstadir quand elle reçut un appel de Dora, du foyer de demandeurs d'asile.

– J'ai essayé de vous appeler ce matin. Je vous dérange ?

Après le départ de Karen, Hulda s'était sentie vidée. Elle était restée dans le café, le temps de retrouver l'énergie nécessaire pour sortir dans ce printemps islandais qui, cette fois, annonçait une fin plutôt qu'un début. Elle n'acceptait pas qu'elle n'allait plus travailler. Le choc et l'incrédulité qu'elle ressentait n'étaient pas seulement dus à la façon désinvolte dont son chef lui avait annoncé la nouvelle ; pas plus que d'avoir à quitter son poste plus tôt que prévu : ce qui la bouleversait, c'était de partir, tout court. Peu importaient les relations qu'elle entretenait avec ses collègues : ils étaient sa bouée de sauvetage. Elle préférait subir leur jalousie et leur mesquinerie plutôt que de vivre cloîtrée entre les quatre murs de son appartement où, sans rien pour la distraire, son passé reviendrait la hanter. Plus que la hanter : l'étouffer. D'aussi loin qu'elle s'en souvienne, elle n'avait connu que des nuits agitées, même avant l'apparition des premiers cauchemars. Tout ce qui la maintenait en vie, c'étaient ses affaires, ses enquêtes et la pression de son métier. La nuit précédente en avait fourni un exemple typique : rêver de la Russe morte avait permis de tenir à distance ses souvenirs indésirables – ses regrets, sa culpabilité… Aurait-elle pu agir différemment ?

Hulda méditait sombrement sur son destin. Elle était seule dans le café du musée ; même les touristes étaient repartis. Personne ne semblait s'intéresser à l'art islandais ou à la tarte aux pommes par cette journée superbe. Et le petit vent du nord glacial n'y changeait rien – après tout, on pouvait toujours trouver un coin à l'abri ailleurs qu'ici.

Était-ce à cela que ressembleraient toutes ses journées, une fois à la retraite ? Faire le tour des cafés pour occuper les longues heures vides ? Elle avait envisagé d'appeler Pétur pour l'inviter à la rejoindre, mais elle s'était retenue. Elle ne voulait pas paraître désespérée.

Ironie du sort : voilà que Dora lui demandait si elle était occupée.

– Non, répondit-elle simplement. Désolée, je n'ai pas entendu votre appel tout à l'heure. J'espère que ce n'était pas urgent ?

– Oh non, pas du tout. Pour être tout à fait franche, je ne comprends pas pourquoi vous vous donnez tant de mal avec ça. Cette fille est morte il y a une éternité et ça n'a l'air de poser de problème à personne… Enfin, vous voyez ce que je veux dire.

Hulda ne comprenait que trop bien. Sans aucun proche pour se préoccuper de son sort, la pauvre jeune femme avait été traitée en dépit du bon sens par la police. Même si ça n'était pas de sa faute, Hulda en ressentait de la honte.

– Je me suis juste rappelé quelque chose. Sans doute sans aucun intérêt, mais on ne sait jamais, ça pourrait quand même vous être utile.

Hulda se redressa, tout ouïe.

– Un jour, il y a un type qui est venu la chercher. Un étranger.

– Un étranger.

– Ouais. Pas un de ces avocats qui s'occupent généralement de nos résidents. Ni cet interprète russe. Quelqu'un d'autre.

– Vous dites qu'il est venu la chercher ?

– Oui. Je l'ai vue monter dans sa voiture devant le foyer. Ça m'est revenu ce matin…

Dora paraissait ravie de pouvoir apporter cette nouvelle information.

– Vous comprenez, je me rappelle que je me suis demandé ce qu'elle pouvait bien fabriquer avec ce type, vu qu'elle ne connaissait aucun Islandais…

– Il était islandais ? demanda Hulda tout en notant les détails sur un petit carnet. Elle se sentait ragaillardie.

– Oui.

– Comment vous le savez ? Vous lui avez parlé ?

– Qui, moi ? Non. Je les ai juste croisés devant le foyer, mais il a dû passer à la réception pour la demander. J'arrivais pour prendre mon service.

– Comment vous savez qu'il était islandais ? insista Hulda.

– Oh, ça se reconnaît toujours. Tous les Islandais se ressemblent, vous ne trouvez pas ? Visage, apparence physique… Il faisait totalement islandais.

– Vous pourriez le décrire ?

– Non, ça fait trop longtemps.

– Il était maigre ? gros ?

Hulda soupira discrètement à l'idée qu'il lui faudrait arracher les informations une par une à la jeune femme.

– Ah, c'est vrai, il était gros. Et pas terrible, avec ça, si je m'en souviens bien.

– Ouais… pas votre genre, quoi ?

– Ça non ! Je me suis demandé si elle s'était trouvé un petit ami, mais ils étaient tellement mal assortis… Elle était séduisante, vous savez, grande, gracieuse… Lui, c'était un petit gros.

– Et vous ne l'aviez jamais vu avant ?

– Non, je ne crois pas.

– Vous vous rappelez de quand ça date ?

– Vous plaisantez ? Je ne me rappelle même pas ce que j'ai mangé au petit déj ! Bon sang… je ne sais pas… je dirais, avant de mourir.

Dora avait un don inné pour débiter des évidences.

– Vous pensez que ça aurait pu être son petit ami ?

Depuis sa discussion avec Bjartur, Hulda avait sa théorie sur la question, mais elle voulait savoir si Dora partageait ses soupçons. Néanmoins, elle ne lui posa pas directement la question. Il n'y avait pas de quoi lancer une rumeur – pas tout de suite, en tout cas.

– Non, pas vraiment. Ça m'a juste traversé l'esprit. Si elle avait eu un petit ami islandais, je suis certaine qu'il aurait été mieux foutu que ce mec.

– Vous avez une idée de ce qu'il fabriquait avec elle ?

– Non. Mais bon, ça ne me regardait pas. J'ai déjà assez à faire à diriger cet endroit. Ce que font les résidents, ça n'est pas mon problème.

– Il avait quel âge, environ ?

– Difficile à dire. Un gars normal. La quarantaine, peut- être. Plus vieux qu'elle.

– Vous avez vu sa voiture ?

– Ah ouais ! Un gros tout-terrain. Les mecs dans son genre conduisent tous des 4 × 4 comme ça. Noirs, en général.

– Quel genre de 4 × 4 ?

– Ne me demandez pas, je suis incapable de les reconnaître. Pour moi, ils se ressemblent tous.

– Ça aurait pu se passer le jour de sa mort ?

– Je n'en suis pas sûre. C'était peut-être la veille, mais j'en doute. J'aurais sûrement fait le rapprochement à l'époque, non ?

– Ça, je ne sais pas.

– Non, évidemment.

– Et vous avez revu cet homme, depuis ?

– Non, je ne crois pas.

– C'est très intéressant. Merci d'avoir rappelé. Et n'hésitez pas à me faire signe si vous vous souvenez d'autre chose. N'importe quoi.

– Ouais, d'accord. C'est marrant, tout ça, non ? Jouer au détective, comme ça… Ça m'arrive de lire des polars de temps en temps, mais je n'aurais jamais pensé me retrouver prise dans une enquête comme ça !

– Ça n'est pas la même chose, la coupa sèchement Hulda.

Puis, flairant une ouverture, elle ajouta, radoucissant sa voix :

– Mais vous pouvez me rendre service et ouvrir l'œil de votre côté…

– Comment ça ?

– Eh bien, poser des questions dans votre entourage au cas où quelqu'un se rappellerait quelque chose d'important. Vous savez, j'ai la conviction qu'Elena a été assassinée et c'est à nous qu'il revient de chercher le coupable.

Un doute la saisit : risquait-elle de mettre cette jeune fille dans une position inconfortable – peut-être même en danger ? Elle évacua cette idée. Ça ne se passait pas comme ça dans un endroit aussi paisible que l'Islande. Ici, les gens ne tuaient qu'une seule fois : dans un moment d'égarement, sous l'influence de l'alcool ou de la drogue, par jalousie ou par colère. Le meurtre prémédité était inédit, sans parler de meurtres en série. Hulda cherchait un tueur, ça ne faisait aucun doute, mais Dora était en sécurité.

– Entendu. Je vais me renseigner, pas de problème.

– Et la femme syrienne, quelles nouvelles ? Je pourrais peut-être lui parler ?

– Non, désolée, c'est impossible. La police est venue et l'a emmenée.

– Ce qui signifie… ?

– Qu'elle est expulsée. Ça arrive. C'est un peu comme dans le jeu des chaises musicales : au départ, tout le monde est assis sur une chaise. On se lève, on enlève une chaise, la musique reprend, on marche en cercle et quand la musique s'arrête, on doit s'asseoir. Celui qui reste debout n'a pas de chance : il est éliminé. Aujourd'hui, c'était le tour de cette femme.

8

À deux ou trois reprises, elle avait évoqué l'idée de sortir un peu de la ville et de voir le reste de l'Islande. Même si, ici, les « villes » méritaient à peine ce nom. Comparé à ce qu'elle connaissait, Reykjavík était à peine plus grand qu'un village.

Elle n'était qu'à moitié sérieuse quand elle avait parlé de ce voyage. Elle n'en espérait rien, surtout par ce temps affreux. Jour après jour, des rafales de vent glacées soufflaient de l'océan, parfois accompagnées de pluie, le plus souvent de neige. Vue de la fenêtre, la blancheur immaculée était splendide, mais les conditions météo changeantes transformaient bientôt le paysage de carte postale en une bouillasse grise, puis, avec le gel inévitable qui suivait, en glace, avant qu'il soit de nouveau recouvert par une chute de neige.

Aussi fut-elle surprise quand il téléphona pour lui proposer de partir en week-end pour « voir la neige », selon ses termes. Elle jeta un coup d'œil par la fenêtre à la pluie incessante, entendit le grondement du vent et frissonna. Allez, on ne vit qu'une fois, songea-t-elle. Pourquoi ne pas accepter ? Ce serait l'occasion de tenter une nouvelle expérience, une aventure au plus près de l'Arctique.

– Il ne risque pas de faire trop froid ? demanda-t-elle tout de même. Dehors, ça a l'air glacial…

– Plus froid qu'ici, avait-il dit avant d'ajouter, comme s'il lisait dans ses pensées :

– On part à l'aventure…

Nous sommes décidément en phase, pensa-t-elle.

Elle s'entendit répondre oui, et enchaîna avec une ribambelle de questions :

– Où est-ce qu'on va ? Comment ? Qu'est-ce que je dois prendre ?

Il lui dit de se détendre. Il viendrait la chercher en 4 × 4. Ils ne partiraient pas loin : le temps était capricieux, mieux valait ne prendre aucun risque. Juste assez loin pour se sentir à l'écart de tout, pour lui donner un aperçu de la nature sauvage.

Elle insista :

– Où est-ce qu'on va ?

Il ne voulait pas le lui dire.

– Tu verras, finit-il par conclure, puis il lui demanda si elle avait un manteau chaud, ou une doudoune.

Comme elle n'était pas équipée, il lui proposa de lui en prêter une. Elle aurait aussi besoin de sous-vêtements en laine épaisse pour le trajet et surtout pour la nuit : c'est là que le froid serait le plus traître.

Un instant, elle se demanda si elle allait changer d'avis, mais son esprit intrépide était déjà conquis. Elle lui répondit que, non, bien sûr, elle n'avait aucun sous-vêtement chaud. Il proposa de lui en acheter. Elle le rembourserait plus tard.

9

S'approchait-elle de la vérité ? L'inconnu dont Dora lui avait parlé était-il venu chercher Elena la veille du jour où son corps avait été découvert ? S'agissait-il d'un client ? Hulda se représentait la scène. Elle ressentait l'impression de solitude et d'abandon qu'Elena avait dû éprouver, forcée de se prostituer dans un pays étranger. C'était peut-être son premier client. Et si elle l'avait repoussé ? Son refus aurait-il pu lui coûter la vie ?

Ces pensées emplissaient Hulda d'une rage impuissante. Elle allait devoir se surveiller. Quelle était cette citation de l'évêque Vidalín, déjà ? « La colère attise un brasier démoniaque dans les yeux des hommes. » Une sensation qu'elle ne connaissait que trop bien.

Tout cela valait bien un autre coup de fil à Bjartur. Elle téléphona et lui demanda si Elena avait déjà parlé de ses clients – en mentionnant leur nom ou leur métier, par exemple. Bjartur était désolé : Elena ne lui avait donné aucun détail.

L'étape suivante consistait à aller interroger Aki, l'entrepreneur soupçonné de diriger un réseau de prostitution. Hulda avait trouvé son adresse ; elle se mit en route vers le quartier huppé de l'ouest de Reykjavík où il vivait. Elle s'arrêta devant une villa ancienne de plain-pied, entourée d'un jardin bien entretenu. Les branches des arbres, encore dépouillées, préparaient la prochaine floraison printanière. De la maison, plutôt discrète pour le coin, émanait une atmosphère paisible. Pour un peu, on l'aurait crue inhabitée, impression renforcée par l'absence de voiture dans l'allée. Personne ne répondit quand elle sonna à la porte. Elle décida de patienter dans sa voiture, le temps que le propriétaire fasse son apparition. C'était sa meilleure piste, et elle voulait le prendre par surprise, le bombarder de questions sans qu'il ait le temps de préparer ses réponses. Et puis, de toute façon, elle n'avait nulle part d'autre où aller. Elle gara sa vieille Skoda en retrait, à une place d'où elle gardait tout de même une bonne vue sur la maison.

Elle avait perdu le compte des heures passées à attendre dans la voiture au long de sa carrière – c'était devenu une routine confortable –, mais après deux heures, l'envie de se lever et d'étirer ses jambes la démangeait. Reste encore un peu, se dit-elle. À moins d'aller frapper à la porte, à tout hasard. Après tout, le suspect passait peut-être la journée chez lui.

Pendant qu'elle soupesait le pour et le contre, un 4 × 4 s'engagea dans la rue et se gara dans l'allée. Un homme svelte, l'air plutôt jeune, aux gestes vifs et assurés en sortit et entra dans la maison. Elle attendit quelques minutes puis lui emboîta le pas et pressa la sonnette de l'entrée. L'homme ouvrit. Il portait encore sa veste et ses chaussures.

Surpris par cette visite, il attendit, immobile et vigilant, qu'elle lui explique la raison de sa venue.

– Aki ?

Hulda faisait de son mieux pour paraître calme et maîtresse d'elle-même.

Il acquiesça. Ses lèvres se tordirent en un sourire assez charmant.

– Je peux vous parler ? demanda-t-elle.
– Ça dépend. À propos de quoi ?
Sous sa voix douce pointait une intonation ferme.
– Je m'appelle Hulda Hermannsdóttir. Je suis de la police.
Elle glissa la main dans sa poche, espérant que son badge s'y trouvait.
– La police, répéta-t-il, pensif. Vous feriez mieux d'entrer. Il est arrivé quelque chose ?
Elle aurait voulu dire oui, parler des photos d'Elena sur la plage mais elle se retint.
– Non, ça n'est pas ça. Je procède juste à quelques entretiens, si ça ne vous dérange pas.
Elle était aussi polie que possible, peu disposée à lui donner des raisons de contacter son avocat. Autant faire simple, tant qu'elle ne disposait pas de preuves suffisantes pour justifier sa démarche. Elle le titillerait un peu pour se faire une opinion sur le personnage.
Aki la laissa entrer. La maison paraissait bien plus grande une fois à l'intérieur. Il l'introduisit dans un salon dont le décor moderne et minimaliste déployait une palette de couleurs monochromes rehaussée de touches d'acier. Hulda s'assit dans un canapé noir au tissu brillant, glacé au toucher. Aki prit place face à elle, calé sur un repose-pieds assorti à un élégant fauteuil.
– J'ai peu de temps devant moi, commença-t-il comme pour lui faire comprendre qu'elle n'était là que parce qu'il l'avait décidé.
– Moi aussi, répondit Hulda.
Ses jours dans la police n'étaient-ils pas comptés ?
– Je voulais vous parler d'une jeune femme d'origine russe…
Elle observait la réaction d'Aki et crut percevoir qu'il voyait parfaitement de qui elle parlait.

– Russe ?

– Elle est venue en Islande comme demandeuse d'asile…

Hulda attaquait bille en tête, sans s'embarrasser de préambule.

– … mais tout porte à croire qu'elle était en réalité victime d'un réseau d'exploitation sexuelle.

C'était pour l'heure une simple théorie, mais autant y aller franchement et la présenter comme une certitude.

– Je ne vois pas du tout de quoi vous parlez, Hulda, répondit-il, les yeux vissés à ceux de son interlocutrice. Je ne vous suis pas. Vous pensez que je connais cette femme ?

Je connais. Présent de l'indicatif. Signe qu'il ne savait rien de ce qui lui était arrivé… Ou tentait-il de brouiller les pistes ?

– Elle est morte, lâcha brutalement Hulda. Elle s'appelait Elena. Son corps a été retrouvé dans une crique à Vatnsleysuströnd.

Le visage d'Aki resta impassible.

Mais il ne semblait pas pressé de la congédier. Il restait assis bien droit, très calme, en tout point respectable avec son jean bleu foncé, sa chemise blanche, sa veste en cuir et ses bottines parfaitement cirées. Tout, depuis sa demeure et sa voiture, jusqu'à son apparence, témoignait de son aisance.

– Vous avez une belle maison, dit Hulda en parcourant la pièce du regard. Qu'est-ce que vous faites dans la vie ?

– Merci. Mais tout le mérite revient à ma femme. Nous aimons nous entourer de belles choses.

Hulda sourit. « Belles » n'était pas le premier mot qui lui serait venu à l'esprit devant les meubles et la décoration de la pièce. Elle aurait plutôt dit « sans âme ».

Mais elle ne dit rien, se contentant d'attendre la réponse à sa seconde question.

– Je suis dans le commerce en gros, expliqua-t-il après un moment.

Il semblait en tirer une grande fierté, ou bien voulait donner cette impression.

– Qu'est-ce que vous vendez ?

– Ça dépend, qu'est-ce que vous voulez ?

Son sourire s'élargit, puis il reprit :

– Je ne devrais pas plaisanter avec un flic. J'importe un peu de tout : alcool, mobilier, équipements électriques, tout ce qui peut se vendre avec une bonne marge. Le capitalisme n'est pas un crime ?

– Bien sûr que non. Et c'est tout ?

– Comment ça, c'est tout ?

– Vous ne connaissiez pas du tout Elena ? Je peux vous montrer une photo d'elle.

– Inutile, je vous assure que je ne la connaissais pas. Je n'ai jamais entendu ce nom avant. Jamais rencontré de demandeuse d'asile russe, et je ne fais aucun commerce avec la Russie, point final. Je suis en couple et heureux de l'être, donc nul besoin de faire appel à des professionnelles, si c'est ce que vous sous-entendez.

Il dégageait un calme impressionnant, presque surnaturel.

– Non, loin de là.

En dépit du décor opulent de ce vaste salon, elle sentait croître un malaise. Entre eux, la table basse brillait comme un miroir, et les fenêtres filtraient les rayons du soleil de fin d'après-midi. Aki donnait l'impression d'être un personnage public parfaitement respectable, poli, soigné, séduisant même… et pourtant, l'instinct d'Hulda lui soufflait qu'elle était en train de croiser le fer avec un adversaire redoutable – qui plus est sur son terrain à lui.

Le silence qui suivit ne dura que quelques secondes, mais le temps parut s'écouler avec une infinie lenteur.

– En fait, ce que je voudrais vous demander…

Contrairement à son habitude, Hulda se surprit à hésiter. Elle se força à reprendre :

– … ce que je voudrais vous demander, c'est si vous êtes à l'origine de sa venue dans le pays.

Aki ne parut pas le moins du monde troublé.

– Eh bien, sacrée question. Vous me demandez si j'ai fait venir une prostituée dans le pays ?

– Oui. Une ou plusieurs.

– Décidément, j'ai du mal à vous suivre.

Sa voix s'était durcie et Hulda se sentit soudain parcourue d'un frisson, malgré la chaleur qui régnait dans la pièce.

– Je parle de trafic humain, précisa-t-elle, tenace. De prostitution organisée. Selon mes informations, Elena était mêlée à ce genre d'activité.

– Intéressant. Et pourquoi au juste me soupçonnez-vous d'être impliqué dans ce réseau ?

La voix d'Aki avait retrouvé sa douceur soyeuse.

– Je ne vous soupçonne de rien du tout, s'empressa de répondre Hulda.

Sans preuves concrètes, elle ne pouvait pas l'accuser directement de participer à un trafic criminel.

– Mais vous le laissez entendre, ajouta-t-il en souriant.

– Non. Je vous demande simplement si vous êtes au courant de quoi que ce soit concernant cette fille ou ce genre d'extorsion.

– Et je vous ai déjà répondu par la négative. Pour tout dire, je trouve assez surprenant qu'un officier de police vienne frapper à la porte d'un honnête citoyen comme moi, respectueux des lois et qui paye plus que sa part d'impôts, pour l'accuser froidement de diriger une sorte de réseau criminel. Vous n'êtes pas de mon avis ?

Il était toujours bizarrement placide, la voix égale. Hulda se demanda si un homme vraiment innocent n'aurait pas été plus scandalisé, plus légitimement en colère.

– Je ne vous ai accusé de rien du tout et si vous ne savez rien sur Elena…

– Pourquoi êtes-vous venue ? coupa-t-il brutalement, prenant Hulda au dépourvu. Qu'est-ce qui vous a donné l'idée de venir me voir ?

Elle pouvait difficilement lui expliquer qu'une de ses collègues le soupçonnait d'être un des principaux tenants de l'industrie du sexe.

Après un silence gêné, elle répondit :

– Une information anonyme.

– Une information anonyme ? Ça n'est pas toujours très fiable, vous savez ? Vous avez des preuves que je pourrais contester, au moins ? C'est difficile de se défendre contre des allégations qui viennent de nulle part.

Il se pencha vers elle.

– Vous devez savoir que j'ai une certaine réputation, et que je dois la défendre. Dans les affaires, une bonne réputation, c'est capital.

– Je comprends parfaitement. Et je peux vous assurer que cette conversation n'ira pas plus loin. Dans la mesure où, manifestement, vous ne savez rien de cette affaire, j'en ai fini.

Bien que l'attitude d'Aki n'ait été en rien ouvertement menaçante – c'était tout l'inverse, même –, Hulda éprouva le besoin urgent de quitter cette maison, de se retrouver dehors, sous le soleil printanier.

Un sentiment d'oppression la gagnait. Les paumes moites, elle se sentait terriblement nerveuse – le vent avait tourné. Elle avait souvent essayé de pénétrer dans la tête des suspects, pas tant par sympathie pour leur situation que pour perfectionner sa technique d'interrogatoire. Au fil des ans, elle était devenue adepte de cette méthode, allant jusqu'à se faire enfermer dans une cellule pour ressentir les effets de la détention et avoir une idée du temps qu'elle serait capable d'y passer. Avant de fermer la porte, son collègue lui avait demandé si elle était sûre de vouloir tenter l'expérience et elle avait confirmé de la tête, malgré la sueur froide qui hérissait son épiderme. Il s'était exécuté, laissant Hulda seule entre les quatre murs. Une étroite fenêtre s'étirait à côté de la porte blindée ; au-dessus du lit, une deuxième, légèrement plus grande, en verre dépoli, dispensait une faible lumière. La respiration de Hulda s'était accélérée et elle avait fermé les yeux pour repousser l'idée qu'elle était enfermée dans un espace exigu. Loin de l'aider, cela n'avait fait qu'aggraver son sentiment de claustrophobie, au point qu'elle avait cru s'évanouir. Alors même qu'elle savait que, contrairement aux vrais prisonniers, il lui suffisait de frapper à la porte pour qu'on lui ouvre. Haletante, proche de la crise de nerfs, elle s'était forcée à rester immobile, aussi longtemps qu'elle le pouvait, avant de craquer, de bondir vers la porte et de la marteler de coups. Son collègue tardant à réagir, elle avait failli hurler, redoublant de coups de poing, se jetant contre la porte de toutes ses forces. La porte avait fini par s'ouvrir. Hulda avait l'impression d'être restée enfermée des heures, mais son collègue avait consulté sa montre et annoncé : « Tu as tenu une minute. »

La claustrophobie n'était pas aussi intense en ce moment, mais quelque chose dans son face-à-face avec Aki avait fait resurgir ce souvenir.

Elle se leva.

– C'était un plaisir. Merci de m'avoir reçue au débotté.

Aki se leva à son tour.

– Tout le plaisir était pour moi, Hulda. N'hésitez pas à me recontacter si je peux vous être utile d'une façon ou d'une autre dans votre enquête.

Il tendit la main ; elle la serra.

– Bien sûr, je vous ferai signe si j'apprends quelque chose, ajouta-t-il en riant. Même si, dans le commerce de gros, on est rarement confronté à des histoires aussi incroyables. Hulda… Hulda Hermannsdóttir, c'est bien ça ?

Cette fois, aucun doute possible : la menace était là.

10

Le jour du départ était arrivé. Elle l'observait tandis qu'il préparait les deux sacs à dos – l'un était pour elle.

– J'ai vraiment besoin de tout ça ? demanda-t-elle.

Elle prit alors conscience que leur petite excursion serait sans doute plus rude qu'elle ne l'avait cru. Il hocha la tête, expliquant que partir avec moins était impensable. Son équipement comprenait un sac de couchage qui lui éviterait de mourir de froid pendant la nuit, de la nourriture, une écharpe épaisse, une paire de gants qui paraissaient trop grands pour elle, une casquette en laine, et une bouteille vide. Quand elle lui demanda s'il fallait la remplir d'eau, il éclata de rire.

– N'oublie pas qu'on est en Islande, ici : on a tout ce qu'il faut de ce côté ! On va passer la nuit en montagne, dans une cabane, à côté d'un torrent. L'eau est cent fois plus pure que celle du robinet.

Alors qu'elle pensait qu'il n'y avait plus de place pour quoi que ce soit d'autre, il ajouta une lampe torche et quelques piles avant d'annoncer que le paquetage était complet. Elle souleva péniblement son sac à dos ; il était beaucoup trop lourd.

– Pas du tout ! Une fois que tu l'auras sur le dos,

tu ne le sentiras même pas. Ah, tu vas avoir besoin de ça aussi…

Il attrapa deux bâtons de marche qu'il sangla de part et d'autre du sac.

Une fois le coffre chargé, il lui demanda si elle savait skier. Elle secoua la tête, et entrevit une porte de sortie. Elle n'avait jamais skié de sa vie, lui expliqua-t-elle, et elle était bien trop vieille pour apprendre. Tout compte fait, ce week-end n'était peut-être pas une bonne idée. Il rit et répondit qu'il n'allait pas la laisser tomber. Il disparut et revint avec une paire de skis, deux bâtons et une corde épaisse.

Avec un petit rire nerveux, elle lui demanda s'il avait l'intention d'aller skier sans elle.

– C'est une sécurité, lui expliqua-t-il. En cas de problème, je peux toujours aller chercher de l'aide en ski.

Il aperçut son coup d'œil vers la corde.

– On en a besoin, si la voiture verse dans un fossé.

Elle sentit sa gorge se nouer.

– Tu penses que ça peut arriver ?

– Non, aucun risque.

Et elle le crut.

Elle s'assit côté passager et il mit le contact. Puis, il lui demanda d'attendre une minute et, laissant le moteur tourner, il repartit vers la maison. Quand elle le vit, à travers le rétroviseur, revenir avec deux haches, son cœur se figea. Il les rangea dans le coffre et reprit place au volant.

– Ce sont… des haches ?

Sa voix tremblait un peu, même si elle s'efforçait de cacher l'angoisse qui l'avait saisie.

– Oui. Des piolets, plutôt. Un pour chacun.

– Pourquoi des piolets ? Je ne veux pas prendre de risques. Je ne suis pas habituée aux sports extrêmes.

– Ne t'inquiète pas, c'est juste une précaution. Mieux vaut être prêt à faire face à toute éventualité. Ce ne sera pas dangereux – on part à l'aventure, c'est tout.

À l'aventure. C'était tout.

11

Hulda se souvenait parfaitement du jour où Jón était mort. Elle avait travaillé tard – pour ne rien changer –, sur une agression violente survenue dans Reykjavík. Elle n'était officiellement pas en charge du dossier mais elle avait porté le plus gros de l'enquête. Des incidents de ce genre survenaient régulièrement le week-end. Quand les bars fermaient, plus tard qu'en semaine, ils déversaient leur clientèle dans les rues, qui s'animaient alors d'une atmosphère de carnaval – chaque vendredi et chaque samedi. La police devait souvent intervenir, au milieu de toute cette chair saoule. Et cela prenait parfois une tournure plus grave, qui conduisait à des interpellations.

C'était un jeudi, et Hulda avait passé sa semaine à interroger des témoins pour essayer d'établir qui avait agressé le jeune homme en question. Ce dernier était toujours à l'hôpital.

Il était près de minuit quand elle rentra dans leur maison d'Álftanes. Une maison qui n'avait plus grand chose d'un foyer.

Le couple ne se parlait presque plus. Tout, là-bas, paraissait lugubre et glacé – depuis les arbres, dehors, jusqu'à l'atmosphère à l'intérieur, les meubles, et même le lit. Jón et elle faisaient désormais chambre à part.

Elle entra et découvrit Jón gisant sur le sol du salon – tellement immobile, tellement mort.

Quand l'ambulance arriva, en temps et en heure, les ambulanciers prétendirent d'abord qu'il était encore possible de faire quelque chose. Des inepties pour essayer de la réconforter. Mais il était trop tard, bien sûr. Il était mort, plus tôt dans la journée.

– Il avait des problèmes cardiaques.

C'était tout ce qu'Hulda avait pu dire. Deux de ses collègues de la police étaient arrivés sur les lieux. Deux jeunes types qu'elle connaissait, même s'ils n'avaient pas d'atomes crochus. Elle ne comptait aucun ami dans la police. Elle était partie à l'hôpital en ambulance, restant aux côtés de Jón. Depuis ce soir-là, elle était seule au monde.

12

Elle n'était pas complètement sûre de comprendre pourquoi il avait insisté pour cette excursion. La plupart du temps, il se montrait gentil, même s'il y avait une intensité en lui qui la mettait un peu mal à l'aise. Mais il l'avait assurée de son amitié, et elle avait vraiment besoin d'un ami dans ce pays si étrange.

Elle avait tout de même l'impression qu'il recherchait plus que cela ; qu'il nourrissait des sentiments plus forts. Mais il ne se passerait jamais rien entre eux, elle le savait.

Elle avait failli renoncer à leur petit tour à l'extérieur de la ville, mais elle avait bien le droit de profiter un peu de la vie… Il ne profiterait pas de l'occasion, elle avait confiance. Ou du moins, elle voulait s'en convaincre, il lui rendait juste un service.

Après tout, que pouvait-il lui arriver de si terrible ?

13

La mère avait perdu son travail. Ça n'était pas vraiment une surprise. Dès le début, son chef avait émis des doutes sur son statut de mère célibataire, lui jetant au visage qu'il préférait employer des femmes sans enfants : elles étaient plus fiables et restaient concentrées sur leur travail.

Et puis, un jour, il l'avait convoquée pour lui annoncer qu'elle n'avait pas besoin de revenir le lendemain. Elle avait protesté, réclamé un préavis plus long, mais il s'y était refusé, tout comme il avait refusé de lui verser une couronne de plus. Les jours suivants avaient été cauchemardesques. Elle avait fini par communiquer son angoisse à sa fille, ce qui l'avait rendue encore plus hargneuse. Elle calculait combien de temps elles allaient pouvoir tenir sur ses maigres économies, se nourrir, avoir un toit avant l'inévitable expulsion. Elle avait beau refaire ses comptes, les perspectives n'étaient pas rassurantes.

C'est ainsi que, ravalant sa fierté, elle était retournée vivre chez ses parents, cette fois avec son enfant. Après des débuts un peu froids, le vieux couple s'était peu à peu entiché de la petite fille. Elle était particulièrement proche de son grand-père, qui lui faisait la lecture et jouait avec elle. Mais tout cela eût raison du lien fragile qui unissait la petite fille à sa mère ; il s'effilocha, se dénoua, jusqu'à ce jour terrible où elle cessa de l'appeler maman.

14

Il faisait encore clair quand ils partirent. Une fois en dehors de la ville, la circulation se clairsema jusqu'à ce que le 4 × 4 emprunte une route annexe apparemment peu fréquentée. Ils s'arrêtèrent devant une chaîne avec une pancarte qui bloquait l'accès aux voitures.

Elle lui demanda si la route était fermée.

Il acquiesça et, tournant le volant, roula sur le bas-côté, dépassa la chaîne et revint sur la route.

– Ce n'est pas risqué ? demanda-t-elle nerveusement. On a le droit de rouler même si la route est fermée ?

Il répondit que la route n'était pas exactement fermée : la pancarte signalait juste un passage impraticable.

De nouveau, cette appréhension lancinante. Elle avait eu tort d'accepter ce voyage…

– Impraticable ?

Elle scrutait son visage.

– Ne t'en fais pas ! dit-il en tapotant le volant et lui souriant. Donne à cette beauté une chance de montrer ce qu'elle a dans le ventre !

La chaleur de l'habitacle contrastait avec l'extérieur rude et glacial. Elle pensa au chauffage qui ne marchait jamais dans la voiture de ses parents.

Elle contempla le paysage, un peu effrayée par cette vaste étendue dépourvue d'arbres. Tout était blanc, seuls quelques éclats noirs accrochaient son regard – des rochers peut-être, ou des touffes d'herbes. Une faible lueur bleue nimbait la cime des montagnes ; la beauté était partout. Et la sérénité, aussi. Ils n'avaient pas roulé longtemps mais ils auraient aussi bien pu être seuls au monde. C'était excitant de ressentir un tel isolement. Et un peu effrayant aussi. Des alentours sourdait une certaine forme de cruauté, comme un univers sans merci – particulièrement à cette époque de l'hiver. La nature se fichait bien que vous soyez vivant ou mort. Ce serait terriblement simple de se perdre, ici.

Elle fut brusquement tirée de ses pensées par une secousse. Pendant un moment affreux, la voiture dérapa dans la neige épaisse et elle crut qu'ils allaient quitter la route et faire un tonneau. Son cœur battait à tout rompre, elle se prépara à l'impact. Mais le 4 × 4 rétablit sa trajectoire.

La radio diffusait un flot de mots qu'elle ne comprenait pas. On aurait dit une litanie monocorde de faits.

Elle finit par demander ce que la voix disait.

– Ce sont les prévisions météo, répondit son compagnon.

– Et ça donne quoi ?

– Rien de bon… Ils annoncent de grosses chutes de neige.

– Dans ce cas, est-ce qu'on…

Elle hésita.

– Est-ce qu'on ne devrait pas faire demi-tour ?

– Pas question. Ce sera encore plus excitant par mauvais temps.

15

Quand son téléphone sonna, Hulda était en train de manger devant la baraque à hot-dogs de Tryggvagata, dans le soleil du soir. C'était un haut lieu de la cuisine islandaise, depuis des décennies. Bien avant que le concept de vente à emporter n'ait été introduit dans le pays, ces hot-dogs avaient acquis le statut de spécialité nationale. Et même atteint une reconnaissance mondiale quand un ancien président des États-Unis s'y était arrêté lors d'une visite pour goûter au fameux sandwich.

Elle se repassait en boucle sa conversation avec Aki. Même s'il était évident qu'il ne ressemblait en rien à la description du conducteur de 4 × 4 que Dora avait vu emmener Elena.

Dommage, vraiment. Cela aurait été si commode : le lien avec Elena aurait pu être établi, et l'enquête avancer d'un grand pas.

Elle essaya de décrocher son téléphone sans lâcher son hot-dog ou renverser du Coca, de la moutarde, du ketchup ou du céleri rémoulade sur son blouson : un exercice de jonglage qu'elle avait perfectionné à force de pratique. Elle fréquentait cette baraque depuis des années et, si l'enseigne avait toujours eu ses adeptes, la file de clients s'était récemment allongée suite à l'explosion du tourisme. Il y avait foule autour de la baraque, entre ceux qui attendaient d'être servis et ceux qui s'efforçaient de manger sans maculer leurs vêtements.

– Hulda ? Albert Albertsson à l'appareil.

La voix de l'avocat, toujours aussi sucrée, inspirait instantanément confiance. Pendant quelques secondes, Hulda se laissa bercer par l'impression qu'il lui apportait de bonnes nouvelles. Un homme avec une voix pareille ne pouvait pas être porteur d'annonces tragiques ?

– Bonjour, Albert.

– Comment vous en sortez-vous avec… l'enquête ?

– Pas trop mal, merci.

– Tant mieux ! Je vous appelle parce que je suis tombé sur des papiers en rapport avec Elena. Ils étaient chez moi, dans mon « meuble de classement ».

Le ton ironique d'Albert n'échappa pas à Hulda. Elle se souvint du chaos qui régnait dans son bureau et devina qu'il avait dû trouver ces papiers sous une pile quelconque. Mais c'était prometteur : avec de nouveaux documents, des indices pouvaient surgir, et en ce moment, ils étaient les bienvenus.

– Excellent ! dit-elle.

– Je dois me rendre à la prison de Litla-Hraun demain matin pour rencontrer un client, mais je peux prendre les papiers avec moi au bureau. Vous voulez passer dans l'après-midi ?

– Non, en fait, je préférerais les récupérer maintenant, si ça ne vous dérange pas. Vous êtes chez vous ?

– Oui, mais je dois partir, et je suis déjà en retard, pour tout vous dire. Mais si vous êtes vraiment pressée, je peux laisser les documents à mon frère. Il vit avec moi. Je les mets dans une enveloppe.

– Parfait. Vous habitez où ?

Il lui donna son adresse puis lui redemanda où en était l'enquête et si elle pensait qu'Elena avait été assassinée.

– J’en suis convaincue, répondit Hulda avant de raccrocher.

La soirée ne faisait que commencer. Récupérer ces documents n’était pas aussi urgent qu’elle l’avait dit à Albertsson, mais elle avait désespérément besoin de s’occuper. Tout, plutôt que rentrer chez elle et chercher en vain le sommeil, sachant qu’un jour de plus la rapprochait de la retraite, un jour de plus du néant douloureux qui allait devenir son unique horizon.

16

Elle fut prise soudain d'un frisson, malgré la chaleur qui régnait dans la voiture. Elle n'aurait pas dû se trouver là. C'était une erreur. Il ne s'était rien passé qui justifie ce sentiment, mais elle respirait anormalement vite à présent. Était-ce ce vide inhumain, l'immensité du paysage, la blancheur de la neige qui estompait tout ?

– Tu aimes vivre ici ? demanda-t-elle, tentant d'endiguer la panique qui naissait en elle.

– Bien sûr. Ou du moins, je le crois. Ceci dit, le climat peut être vraiment éprouvant parfois et le nombre de jours d'été se compte sur les doigts d'une main. Mais j'aime le froid, la neige. Tu ressens peut-être la même chose, non, toi qui viens de Russie ?

Elle se contenta de hocher la tête.

– Je suis sûr que tu vas finir par apprécier, poursuivit-il d'une voix amicale.

Il était bienveillant avec elle ; elle n'aurait pas dû avoir peur. Elle avait bien d'autres raisons de se faire du souci : la question de son avenir, l'autorisation de rester ou non en Islande et ce qui adviendrait si on lui refusait. Elle essaya de se détendre, de respirer plus doucement. Elle se préoccuperait de son futur demain, aujourd'hui elle allait profiter de leur escapade. Tout irait très bien.

17

C'était la fin de l'été, plus d'un an après la mort de Jón. Hulda se tenait au sommet de l'Esja, la longue et plate montagne qui se dressait au nord de Faxaflói, la baie qui bordait Reykjavík. Elle était habituée à des randonnées bien plus difficiles que celle-là, mais elle avait un faible pour ce parcours. Suffisamment proche de la ville pour pouvoir en profiter après le travail, par les soirées de printemps et d'été qui étiraient leur clarté jusque très tard. En marchant d'un bon pas, on atteignait le sommet en moins d'une heure.

Elle ne s'était pas sentie très bien de toute la journée et avait décidé d'aller se promener toute seule. D'autres randonneurs comme elle parcouraient la montagne, bien sûr. Mais elle se retrouvait dans son petit monde à elle, aspirant l'air frais à grandes goulées, devant les grands panoramas du sud-ouest de l'Islande : des ramifications urbaines de Reykjavík, de l'autre côté de la baie, jusqu'à la péninsule de Reykjanes plus au sud ; avec une vue sur les étendues rocheuses inhabitées et les calottes glaciaires de l'est du pays.

Il se faisait tard. Il fallait commencer à redescendre à présent. Mais elle voulait retarder ce moment aussi longtemps que possible. Ici, elle se sentait dans son élément ; ici, elle pouvait oublier tout le reste. Ou presque.

Dès qu'elle rentrerait en revanche, dès qu'elle irait se coucher, ses cauchemars reviendraient l'assaillir, et la même question la tourmenter : n'aurais-je pas dû savoir ?

18

Dans le rétroviseur, elle aperçut à travers les nuages les lueurs du soleil bas du soir. Ou était-ce encore le soleil de l'après-midi ? Le soir tombe tôt en Islande à cette période de l'année, mais ils avaient encore droit à une petite respiration avant que l'obscurité n'engloutisse tout.

La couche de neige recouvrant la route était de plus en plus épaisse. Bientôt, ce qu'elle redoutait arriva : le 4 × 4 resta coincé sur une congère, pneus tournant dans le vide, moteur hurlant. Il coupa le contact, dit à sa passagère de ne pas s'inquiéter. Autant en profiter pour sortir se dégourdir les jambes. Quitter l'atmosphère surchauffée et étouffante de la voiture fut un soulagement ; elle emplit ses poumons de l'air pur et glacé de la montagne. Heureusement qu'il lui avait fourni des vêtements chauds : le froid intense lui parut juste revigorant.

Elle fit quelques pas timides sans trop s'éloigner de la voiture. Elle hésitait à s'écarter de la route car, sous la surface blanche et lisse, le terrain pouvait se révéler dangereux. S'apercevant de sa prudence, l'homme lui sourit et lui fit signe qu'elle n'avait rien à craindre. La neige crissait sous ses pas, d'une perfection seulement troublée par les empreintes qu'elle laissait derrière elle.

C'était sa neige, à elle et à personne d'autre. Son regard balayait un décor d'où toute trace humaine était bannie : un paysage désert s'étendant jusqu'à l'horizon. Ils étaient absolument seuls. Mais son appréhension initiale s'était émoussée. Qu'est-ce qui pouvait lui arriver de plus terrible ?

Elle l'observa tandis qu'il dégonflait légèrement les pneus pour baisser la pression et augmenter la surface de contact. Puis il retourna au volant et tentait d'extraire le 4 × 4, centimètre par centimètre, de son piège de glace. Enfin, la voiture se dégagea complètement. Au même moment, des flocons légers comme des plumes se mirent à flotter dans l'air et atterrirent sur les manches de sa doudoune avec une infinie douceur.

19

Le jour où le grand-père de la petite fille aborda le sujet pour la première fois, Reykjavík jouissait des rayons d'un soleil inhabituel. Immobile dans un coin ombragé du jardin, la mère observait sa fille en train de jouer. L'enfant, concentrée sur son jeu, baignée de soleil, offrait un spectacle charmant. Peut-être était-ce injuste de la décrire comme malheureuse, mais le fait est qu'elle paraissait rarement aussi joyeuse.

La mère reçut la proposition de plein fouet, d'autant plus qu'elle venait de son père, lui qui avait noué une relation si intime avec sa petite-fille. À sa voix, elle sut que ce n'était pas son cœur qui parlait ; elle y décela plutôt l'écho de la volonté de sa propre mère, qui dès le départ avait désapprouvé la situation. Elle n'avait laissé planer aucun doute sur le fait qu'il n'était bon pour personne de donner naissance à un enfant bâtard, quand bien même cet enfant se révélait adorable. Par cet acte, la honte s'abattait sur toute une famille – pas seulement sur la mère, mais aussi sur ses parents.

Dans ce jardin ensoleillé, le grand-père avait timidement suggéré que la petite fille soit placée, peut-être même adoptée. Il connaissait un couple, à l'est, qui avait les moyens de répondre à tous ses besoins, de lui assurer une vie bien meilleure que celle qui l'attendait à Reykjavík. Des gens bien, avait-il insisté, mais sa voix manquait de conviction. Ils n'étaient peut-être pas si bien que cela, ou alors c'était l'idée qui n'était pas vraiment bonne.

Quoi qu'il en soit, sa fille l'avait écouté, consciente qu'il lui était difficile de dire non à l'homme qui avait mis un toit au-dessus de leurs têtes. Elle était incapable de pourvoir, par ses propres moyens, à ses besoins et à ceux de sa fille. Elle avait échoué à sa première tentative, et elle avait besoin de temps pour économiser avant de réessayer.

Les yeux gonflés de larmes, elle avait promis d'y réfléchir.

20

La maison de l'avocat dans le quartier verdoyant de Grafarvogur lui rappela sa petite maison d'Álftanes. Même si le voisinage était très différent, quelque chose dans cette demeure réveilla en elle une bouffée de nostalgie – son apparence chaleureuse, ou peut-être l'impression qu'elle surgissait tout droit du passé. En ce moment, il lui en fallait peu pour se sentir submergée par l'émotion. Depuis la nouvelle de son congé, elle repensait au passé avec une fréquence inhabituelle. Sa relation naissante avec Pétur y était aussi pour quelque chose ; elle constatait avec un certain malaise qu'elle avait omis de lui raconter beaucoup de choses sur elle.

Elle pressa le bouton de la sonnette et attendit.

L'homme qui ouvrit la porte avait beau être plus petit et plus trapu qu'Albert, l'air de famille était saisissant. Il paraissait beaucoup plus vieux que son frère – une dizaine d'années – et arborait un ventre spectaculaire.

– Vous devez être Hulda, dit-il en souriant, sa voix suave d'animateur radio trahissant sa parenté avec Albert.

– En effet.

– Entrez.

Il la conduisit dans un salon rempli de meubles dépareillés. Malgré son intuition limitée sur ces sujets, Hulda les considéra pour la plupart totalement démodés. Un vieux poste de télévision carré occupait une place de choix. Devant lui était planté un énorme fauteuil qui paraissait extrêmement confortable.

– Je suis Baldur Albertsson, le frère d'Albert.

Albert et Baldur : manifestement, leurs parents n'avaient pas feuilleté très longtemps le Grand Livre des prénoms avant de choisir les leurs, se dit Hulda avant d'être frappée par un détail qu'elle aurait dû remarquer tout de suite : le frère d'Albert correspondait trait pour trait au portrait que Dora avait brossé de l'homme au 4 × 4 : petit et gros. Elle retint son souffle, tentant de se ressaisir. Quelle était la probabilité que le suspect numéro un soit le frère de l'avocat ? Certes, il était lié à l'affaire, mais seulement de façon indirecte. De plus, la description de Dora était assez vague pour correspondre à un grand nombre d'hommes. Malgré tout, il serait intéressant de lui poser quelques questions. Elle envisagea de lui demander de but en blanc s'il était passé prendre Elena à son foyer, mais tout bien réfléchi, ce serait aller un peu vite en besogne. Mieux valait le faire d'abord identifier par Dora puis le mettre sur le gril.

Elle se rappela combien elle s'était sentie nerveuse chez Aki. Ici, c'était tout le contraire. Malgré le soupçon qui croissait en elle, elle continuait de considérer la présence de Baldur Albertsson comme agréable et pas du tout menaçante.

– J'ai cru comprendre qu'Albert n'était pas là, commença-t-elle pour lancer la conversation.

– Non, il avait une réunion. Toujours en déplacement, celui-là !

– Vous êtes avocat vous aussi ?

Baldur répondit par un gloussement poli, sans doute maintes fois répété. On devait lui poser cette question souvent.

– Seigneur, non ! C'est la spécialité d'Albert, le premier et le seul avocat de la famille. Moi, je suis… disons, entre deux jobs pour le moment.

– Je vois.

Hulda attendit la suite, sachant d'expérience que les questions directes sont souvent superflues.

– Albert me laisse rester avec lui. C'est très généreux de sa part.

Il se tut un instant, puis reprit :

– Enfin, « rester », ça n'est pas le bon mot. Je vis ici depuis deux ans, depuis que j'ai perdu mon boulot. Au départ, c'était la maison de nos parents, et puis Albert la leur a rachetée quand ma boîte s'est mise à licencier.

Hulda prit son temps pour répondre, s'appliquant à trouver les bons mots.

– C'est un bon arrangement… à condition que vous vous entendiez bien tous les deux.

– Oh, oui, il n'y a jamais eu de problèmes entre nous.

Pus, changeant de sujet :

– Vous voulez du café ?

Hulda acquiesça. Elle n'allait pas laisser passer l'occasion de connaître cet homme un peu mieux – il était peut-être mêlé à l'affaire dont elle s'occupait. Et puis il donnait l'impression d'avoir besoin de compagnie plus que de caféine.

Un long moment s'écoula avant qu'il ne revienne avec un liquide qui se révéla proprement imbuvable. Peu importait ; il fournissait un excellent prétexte pour prolonger la discussion.

En l'attendant, Hulda avait cherché dans le salon un portrait de Baldur qu'elle aurait pu montrer à Dora. Il suffisait qu'elle utilise son smartphone pour le prendre en photo – même si, vu l'état lamentable de son téléphone, la qualité serait sans doute médiocre. Mais elle fut déçue de ne rien trouver. Elle envisagea alors de le prendre discrètement en photo, mais cela risquait de mettre à l'épreuve sa dextérité. Elle avait besoin de tous ses doigts pour manipuler son téléphone, et activer l'appareil photo nécessitait trop de manœuvres.

Ils s'assirent de part et d'autre d'une grande table. Hulda aurait vraiment préféré passer ce moment avec Pétur. Cela dit, il n'était pas forcément trop tard. À cette période de l'année, il n'y avait pas réellement de différence entre le jour et la nuit ; celle-ci n'était rien d'autre qu'un état d'esprit. En pensant à Pétur, elle prit conscience qu'au fond elle avait peut-être assez travaillé comme ça. La perspective de soirées de repos complet, qui ne seraient pas parasitées par son métier d'une manière ou d'une autre, n'était peut-être pas si déprimante. Hulda avait beaucoup trop tendance à rapporter du travail chez elle, même quand ce n'était pas nécessaire. Son esprit était toujours en surchauffe. Elle n'avait jamais réussi à s'accorder de parenthèses pendant ses enquêtes, à débrancher complètement. Jón s'en plaignait souvent, mais elle était faite comme ça, voilà tout.

– Délicieux, ce café, mentit-elle. Je ne vais pas pouvoir rester longtemps, cela dit. Je suis attendue ailleurs.

Elle but une gorgée.

– Une fois, remarqua Baldur, j'ai essayé d'entrer dans la police. Ils ne m'ont pas pris.

Il tapota sur son impressionnante bedaine.

– Je n'ai jamais eu la forme et c'est trop tard pour changer ça. Le beau gosse, ça a toujours été Albert !

Aucun ressentiment dans ces paroles même si, après avoir expliqué qu'Albert avait été le premier avocat de la famille, c'était la seconde fois que Baldur se rabaissait pour complimenter son frère. Il paraissait lui vouer une admiration sincère, sans une once de jalousie.

– Est-il l'aîné ou le cadet ? demanda Hulda avec tact, même si la réponse était évidente.

– Il a dix ans de moins, et je suis sûr que ça ne vous a pas échappé. Il n'était pas prévu. Une jolie surprise pour nos parents.

– Il s'occupe de beaucoup de ce genre d'affaires ?

– Quel genre ?

– La défense de demandeurs d'asile.

– Oui, je crois bien. Pour lui, les droits de l'homme sont plus importants que l'argent.

– Il doit quand même se faire payer, non ?

– Oui, bien sûr, mais c'est surtout pour les gens qu'il fait ça. Il veut les aider.

– Qu'est-ce que vous faisiez ? demanda Hulda.

Elle prit le risque d'avaler une troisième gorgée de café, mais il était si amer qu'elle repoussa discrètement sa tasse.

– Ce que je faisais ?

– Dans la vie, avant de vivre ici. Avant de perdre votre travail.

Le téléphone de Hulda, posé près de sa tasse, sonna bruyamment, interrompant leur conversation. Elle soupira intérieurement quand elle vit qu'il s'agissait de Magnus, la dernière personne à laquelle elle avait envie de parler. Elle hésita à décrocher, puis décida que cela pouvait attendre. Comme elle ne savait pas baisser le volume pendant la sonnerie, ni même si c'était possible, elle raccrocha directement, non sans presser quelques boutons pour activer l'appareil photo. Elle espérait que ses manipulations n'éveilleraient pas la méfiance de Baldur. Elle pressa le bouton « Prise de vue » et le clic émis par l'appareil résonna dans toute la pièce. Elle lança un regard navré à son interlocuteur.

– Pardon, je suis vraiment nulle avec ce truc. Je voulais juste couper le son…

– Je vous comprends tout à fait ! Moi non plus, je ne me débrouille pas trop bien avec le mien.

Apparemment, Baldur ne se formalisait pas qu'on le prenne en photo – à supposer qu'il ait compris ce qui venait de se passer.

– J'ai travaillé pendant plusieurs années comme concierge, reprit-il, mais ils ont commencé à virer du monde et j'ai été un des premiers à partir. À part ça, j'ai fait plein de petits boulots. Je n'ai jamais gardé une place très longtemps… J'ai surtout bossé pour des commerçants, fait de la manutention, vous voyez le genre…

Hulda devait bien se l'avouer : elle n'imaginait pas Baldur dans le rôle d'un meurtrier. Il ne ferait pas de mal à une mouche. Certes, les apparences peuvent être trompeuses, mais après tant d'années dans la police, elle s'estimait assez douée pour jauger les gens, qu'ils soient du bon ou du mauvais côté de la justice. Son jugement n'était cependant pas infaillible. Dans un cas précis, il lui avait même lourdement fait défaut… Et cela avait été sa plus grande erreur, une erreur qui avait changé sa vie pour toujours.

Et même si elle avait raison de penser que Baldur était incapable de tuer une femme de sang-froid, il restait une faible possibilité pour qu'il soit impliqué dans la mort d'Elena. Après tout, il pouvait très bien, dans le passé, avoir accepté une proposition de boulot douteux mais bien payé, et s'être retrouvé à travailler pour les mauvaises personnes.

– Votre frère a laissé des papiers pour moi, lui rappela poliment Hulda.

Le visage de Baldur se ferma. Apparemment, il avait espéré qu'elle reste un peu plus longtemps à bavarder autour d'un café imbuvable.

– Bien sûr !

Il se leva et quitta le salon, pour y revenir presque aussitôt, une enveloppe à la main.

– Tenez. Aucune idée de ce que c'est, mais j'espère que ça vous sera utile. Albert doit savoir ce qu'il fait : c'est un ancien flic.

Hulda résista à l'envie de rectifier : Albert n'avait jamais été flic. Il avait seulement travaillé pour la police en tant qu'avocat.

– Hum hum, se contenta-t-elle de dire.

Elle repoussa sa chaise et se leva, jetant un coup d'œil ostensible à sa montre pour signifier qu'elle devait partir.

– Vous avez travaillé avec lui, vous aussi ? lui demanda Baldur, essayant maladroitement de prolonger leur conversation.

– Pas directement, mais je me souviens de lui. Il était très bien considéré.

Elle n'en avait aucune idée.

Baldur sourit.

– Ça fait plaisir à entendre.

Il semblait tellement sincère, une nature foncièrement bienveillante. Même après une entrevue aussi brève, Hulda avait du mal à croire qu'il puisse être lié à cette affaire, mais il revenait à Dora de trancher sur ce point.

Elle prit sur elle pour ne pas ouvrir l'enveloppe avant de sortir. Si elle avait écouté sa curiosité, elle aurait déchiré le rabat dès qu'elle l'avait eue entre les mains.

Aussi sa déception fut-elle immense en découvrant que tous les documents – une dizaine de pages, après un rapide passage en revue – étaient rédigés en russe. Elle les feuilleta plusieurs fois dans l'espoir de tomber sur un passage qu'elle pourrait comprendre, parcourut le contenu de chaque page – en vain. Il y avait des textes manuscrits, d'autres tapés sur ordinateur et des documents apparemment officiels, mais elle n'avait aucune idée de ce qu'ils pouvaient bien raconter.

Elle sortit son téléphone et envisagea d'appeler un traducteur assermenté, mais elle pouvait reporter ça au lendemain. À la place, pourquoi ne pas se rendre à Njardvík pour montrer à Dora la photo qu'elle avait prise de Baldur. Elle verrait bien sur quoi ça pouvait déboucher.

Non, les documents étaient forcément prioritaires. Alors qu'elle reprenait son téléphone pour contacter un traducteur russe, un bip indiqua l'arrivée d'un SMS. C'était Magnus. Bon sang, il fallait qu'elle le rappelle. Le message était concis : « Je vous attends dans mon bureau tout de suite ! » Le point d'exclamation en disait long sur son humeur. Son cœur s'emballa. Elle n'avait jamais eu beaucoup de temps à consacrer à son chef, et encore moins dans les circonstances actuelles. Quand elle sentait que ses collègues partageaient son point de vue, elle n'hésitait pas à lui casser du sucre sur le dos. Et elle ne comptait plus les milliers de fois où elle l'avait insulté à mi-voix à cause de son incompétence managériale. Il n'en restait pas moins son supérieur, et le SMS eut l'effet escompté. Mettant de côté la traduction des documents et la visite à Dora, elle obtempéra. Elle était convoquée pour se faire réprimander, cela ne faisait aucun doute – une expérience inédite.

21

La neige avait cessé après une première brève bourrasque mais le ciel était chargé de nuages annonciateurs d'autres chutes.

Soudain, sans prévenir, il tourna le volant d'un coup sec et, quittant la route, traversa la campagne en direction d'une lointaine chaîne de montagnes. Elle tressaillit et se raidit, cramponnée à la poignée de la portière.

– C'est une route ? demanda-t-elle, alarmée.

Il secoua la tête.

– Non ! On roule sur une croûte de neige. C'est là que ça devient fun !

Il sourit pour marquer son trait d'humour. Après être restée silencieuse un moment, elle se hasarda à demander s'ils ne risquaient pas d'abîmer le terrain. Est-ce qu'ils avaient le droit de faire ça ? La beauté immaculée du paysage la touchait personnellement ; il lui semblait qu'ils traversaient une contrée sauvage et inhabitée, où aucun humain n'avait jamais posé le pied. Ils n'avaient pas le droit d'être ici.

– Ne sois pas stupide ! lança-t-il sèchement. Bien sûr qu'on a le droit !

Sa virulence la cueillit à froid. Elle ne savait pas comment réagir, et au fond, elle ne le connaissait pas si bien que ça. Était-il possible que son apparence amicale cache une face plus sombre ?

Elle essaya de dissiper son malaise.

– Tu veux essayer ? demanda-t-il brusquement.

– Quoi ?

– Tu veux essayer ? répéta-t-il. De conduire ?

– Je ne peux pas. Je n'ai jamais conduit en dehors de la route, dans une neige aussi profonde, et jamais de 4 × 4.

– Ne sois pas bête, essaie ! insista-t-il avec un sourire, comme si tout cela n'était qu'une plaisanterie.

Elle secoua la tête, sceptique.

En réaction, il freina et coupa le moteur. Au milieu de nulle part, avec la route loin derrière et les montagnes – leur apparente destination – encore plus loin devant eux.

– Maintenant, à toi de jouer, annonça-t-il doucement.

Et sans rien dire de plus, il sauta de la voiture, fit le tour et ouvrit la portière côté passager.

– C'est un jeu d'enfant. Ça n'a rien de compliqué. Je t'ai promis de l'aventure, tu te rappelles ?

Nerveuse, elle s'extirpa de son siège, se fraya timidement un chemin dans la neige profonde jusqu'à la portière conducteur et se hissa derrière le volant. Le 4 × 4 avait une boîte manuelle, et par chance, elle savait passer les vitesses. Elle mit le contact, passa prudemment en première et le véhicule se mit en mouvement au pas, creusant un lent sillon dans la neige.

– Tu peux aller plus vite que ça ! railla-t-il.

Craintive, elle passa en seconde, pressant un peu plus fermement la pédale d'accélérateur.

– Là-bas, sur ta droite… la conduite sera plus facile.

Il fixait l'image déroutante du GPS affichée sur le pare-brise.

– Et maintenant, vite ! Il faut qu'on évite ces hautes herbes !

Elle prit un virage sec à droite. Les conditions météo laissaient peu de place à l'erreur et, pendant une fraction de seconde, elle craignit de rater sa manœuvre et de partir en tonneaux. Son cœur martelait sa cage thoracique. Mais le 4 × 4 tourna sans problème.

– C'est une putain de galère de se retrouver coincé dans les hautes herbes, expliqua-t-il.

Puis il fixa de nouveau l'affichage GPS et, dans un grand rire, annonça :

– En ce moment, tu traverses une rivière.

– Une rivière ? Sérieusement ? Il y a une rivière juste en dessous de nous ?

Son cœur recommença à s'emballer.

– Oui ! De l'eau partout sous la glace.

– Tu es absolument certain qu'on est en sécurité ?

– Eh bien…

Il se tut un instant, soignant son effet.

– … disons qu'il vaudrait mieux que la glace ne cède pas maintenant.

Involontairement, les mains de la jeune femme se crispèrent sur le volant. Le rire moqueur de son passager ne fit rien pour apaiser ses craintes.

22

La ferme était située à flanc de montagne, près de la côte, dans une région à la population clairsemée, non loin des vastes plaines de sables qui s'étendent entre la calotte glaciaire du Vatnajökull et la mer. Depuis le jardin où elle tenait sa fille par la main, le panorama sur les montagnes, les glaciers, les plaines sablonneuses et la mer était époustouflant. C'était la première fois qu'elle se rendait dans le sud-est du pays, et si elle ne pouvait pas nier la beauté spectaculaire du paysage, ce n'était pas pour cela qu'elle avait fait le déplacement. Elle était venue dire au revoir à sa fille et la confier à des parents adoptifs, à des étrangers, dans cette région éloignée de tout.

Malgré les efforts courageux qu'elle avait déployés pour retenir ses larmes, son père avait perçu sa réticence. Il avait insisté sur la générosité du couple, les conditions de vie tellement plus saines pour la petite fille qui grandirait à la campagne, au cœur de la nature, qui respirerait l'air pur de la mer. Elle s'y adapterait très vite, assurait-il. Elle avait déjà connu un grand bouleversement dans sa vie, et s'il pouvait paraître injuste de lui en imposer un second si tôt, mieux valait en réalité qu'elle s'y confronte rapidement. Après tout, quelles perspectives pouvait-elle avoir en ville ? Personne dans la famille n'avait assez d'argent, et tout ce que l'avenir leur réservait, c'était un quotidien laborieux, un combat incessant pour mettre de la nourriture dans les assiettes. Ce genre de vie était un enfer pour des enfants, et sa petite-fille méritait mieux. Mais lors de cette conversation, un sujet n'avait pas été abordé : le couple de l'est avait proposé une compensation financière à la famille pour ce que la petite leur avait coûté – une somme sans commune mesure avec l'argent dépensé pour élever l'enfant. Le père et sa fille n'avaient pas mis de mot sur cette réalité mais, de fait, ils étaient conscients de vendre l'enfant pour un montant si considérable qu'il changerait radicalement leur existence. De l'argent taché de sang, voilà ce que c'était. La mère avait déjà pris la décision de ne pas en toucher un sou. Son père pouvait en faire ce qu'il voulait – rembourser ses dettes par exemple. Mais, quand bien même elle refusait de l'admettre, tant qu'elle vivrait avec ses parents, elle en bénéficierait aussi, directement ou indirectement.

Elle resta en retrait, agrippée à la main de sa fille, pendant que son père marchait lentement vers la maison. Les propriétaires avaient sûrement remarqué leur arrivée : il n'y avait personne aux environs.

Sa fille tremblait. Peut-être était-ce à cause du vent glacé qui soufflait des montagnes malgré le temps splendide ? Ou peut-être sentait-elle l'imminence d'un événement terrible ?

Comment ai-je pu me laisser convaincre ? La mère ne cessait de se poser cette question tandis que son père atteignait la porte d'entrée.

Elle prit l'enfant dans ses bras, la serra fort contre elle, tentant d'apaiser ses tremblements. Le voyage en avion et par la route avait été long. Un jeune homme, probablement un employé de la ferme, était venu les chercher à l'aéroport. Il était resté dans la voiture. Sans doute avait-il reçu l'ordre de ne pas interférer dans cette rencontre délicate.

La porte s'ouvrit sur un homme d'âge mûr qui les salua chaleureusement. Impossible de faire marche arrière à présent. Des larmes ruisselaient sur les joues de la mère. S'en apercevant, la petite fille se mit à gémir. Les deux hommes, amis de longue date, leur jetèrent un coup d'œil puis reprirent leur discussion. La mère et sa fille n'étaient que des figurantes au rôle limité dans ce grand scénario. Quelle ironie de penser que la grand-mère, l'instigatrice de cette décision, avait été incapable de les accompagner.

La mère sentit combien son étreinte calmait rapidement la petite fille, qui cessa de trembler. Elle se vit à cet instant comme la vraie mère de l'enfant, pas seulement la dame derrière la vitre, et elle espéra – contre toute attente peut-être – que la petite fille ressentait la même chose.

Un cri retentit. Son père les appelait, leur demandait de les rejoindre. Elle hésita ; tous ses doutes remontaient à la surface. Après quelques pas incertains vers la maison, elle s'immobilisa. Le couple se tenait sur le seuil à présent. Leurs sourires se voulaient gentils, mais cette gentillesse ne lui paraissait pas sincère. Des sourires qui cherchaient juste à la convaincre.

Soudain, sa décision fut prise. Elle n'entrerait pas dans cette maison. Elle refusait de leur laisser la petite Hulda.

– Je rentre chez nous ! lança-t-elle d'une voix claire et ferme qui la surprit elle-même.

Son père la fixait du regard, sans un mot.

– Je rentre chez nous, répéta-t-elle, et Hulda vient avec moi.

Il approcha, les enserra toutes les deux dans ses bras.

– Entendu. C'est ta décision.

Il souriait.

Elle serra la petite fille de toutes ses forces, jurant de ne jamais la laisser partir.

23

Hulda resta quelques minutes dans sa voiture devant le commissariat, incapable de rassembler son courage pour entrer, redoutant sa confrontation avec Magnus. Non qu'elle regrettât quoi que ce soit. Rouvrir le dossier Elena avait été une bonne décision, et elle n'avait pas l'intention de renoncer à son enquête sans se battre. Rendre visite à Aki avait été nécessaire, même si, à y réfléchir, elle aurait dû prendre le temps de se renseigner davantage sur lui avant de se précipiter chez lui. La faute en revenait au délai serré qu'elle s'était donné pour résoudre l'enquête.

Presque sans s'en apercevoir, elle se retrouva le téléphone en main, à composer le numéro de Pétur. Il répondit tout de suite.

– Hulda ! J'attendais votre coup de fil ! s'exclama-t-il affectueusement.

Il paraissait toujours de bonne humeur, toujours positif, toujours chaleureux. Oui, elle l'aimait vraiment bien. Comment aurait-elle pu ne pas l'aimer ?

– Ah ?

Elle regretta aussitôt cette réponse un peu sèche, qui traduisait sa surprise sans intention de paraître désagréable.

– Oui. Je me disais qu'on pourrait peut-être se revoir ce soir. Je voulais vous proposer de venir chez moi et de cuisiner pour vous.

– Avec plaisir !

Puis elle se rendit compte que la clarté du soir l'avait induite en erreur et que l'heure du dîner était passée depuis longtemps.

– Je veux dire… ça aurait été avec plaisir.

– Ah mais on peut toujours le faire ! Je me mets aux fourneaux tout de suite. J'ai tous les ingrédients, notamment un très beau rôti d'agneau. Je peux le préparer au gril en vous attendant. À moins que vous n'ayez déjà mangé ?

– Quoi ? Non, pas encore à vrai dire.

Le hot-dog ne comptait pas.

– Je… euh, j'ai hâte de venir.

Elle constata qu'elle était à bout de souffle, stressée par sa conversation imminente avec Magnus. Elle espéra que Pétur ne le remarquerait pas et ne se mettrait pas à lui poser des questions gênantes.

Elle reconnaissait volontiers que la perspective de cette soirée lui procurait une sensation de chaleur. Elle avait désespérément besoin de parler à quelqu'un d'Elena, de cette affaire, de sa retraite prochaine… Et puis, il fallait aussi qu'elle lui confie certaines choses…

– Parfait ! Vous partez maintenant ? Dans combien de temps pouvez-vous être là ?

– Je dois d'abord faire un crochet par le commissariat, mais je ne serai pas longue.

En tout cas, elle l'espérait.

Le couloir menant au bureau de Magnus ne lui avait jamais paru aussi interminable. Sa porte était ouverte et alors qu'elle s'apprêtait à frapper à la vitre, il leva les yeux. Ses sourcils étaient réunis en un froncement soucieux et elle comprit tout de suite que leur entrevue allait être houleuse. Elle avait l'intuition désagréable que c'était uniquement pour elle qu'il était venu au bureau en cette délicieuse soirée de printemps. Qu'est-ce qu'elle avait donc fait de si grave ? Aurait-elle dû demander une autorisation officielle pour rouvrir cette enquête ? Ou bien Aki s'était-il plaint d'elle ? Hulda l'imaginait sans peine avoir des amis influents et des connaissances haut placées.

– Asseyez-vous ! aboya Magnus.

En temps normal, elle aurait été scandalisée par ce ton, mais elle était tellement angoissée qu'elle se laissa misérablement tomber sur la chaise face à lui et attendit. Elle n'avait pas encore ouvert la bouche.

– Vous êtes allée voir Aki Akason un peu plus tôt dans la soirée ?

Elle acquiesça. Il aurait été absurde de le nier.

– Qu'est-ce qui vous a pris, bon Dieu ?

L'agacement de Magnus semblait s'être transformé en colère.

Hulda grimaça. Elle s'était attendue à recevoir un coup de règle sur les doigts, pas à le voir exploser de la sorte.

– Comment ça ? J'ai pris cette décision suite à…

Il l'interrompit :

– Allez-y, oui, expliquez-vous. Je ne veux pas avoir à vous virer si près de la retraite…

Hulda se ressaisit.

– J'ai reçu une information selon laquelle il était impliqué dans un trafic sexuel, un réseau de prostitution ou quelque chose dans le genre.

– Et cette info, elle venait de qui ?

Hulda n'envisageait pas une seconde de mêler Karen à tout ça.

– D'une source que je ne peux pas révéler. Mais j'ai déjà pu constater… qu'elle était fiable.

Karen lui avait-elle refilé un tuyau percé ? Hulda avait-elle débarqué chez un homme d'affaires innocent en l'accusant de faire partie du crime organisé ? Ce serait un fiasco d'anthologie…

– Et si je peux vous poser la question, pourquoi avez-vous décidé toute seule d'enquêter sur un réseau de prostitution ? demanda Magnus d'une voix où suintait le mépris.

– Vous m'avez dit de reprendre l'affaire de mon choix.

– L'affaire de votre choix ? répéta Magnus, sceptique.

– Oui. D'y travailler en attendant mon départ.

– Ah, je vois… Mais je n'ai pas pensé une seconde que vous me prendriez au sérieux. C'était juste une parole en l'air. Je croyais que vous alliez rentrer chez vous, prendre du bon temps, jouer au golf ou à je ne sais quoi d'autre…

– Je suis plus randonnée.

– Oui, eh bien, je pensais que vous partiriez explorer les montagnes. Comment avez-vous pu décider de ressortir une affaire sans m'en référer ?

– J'avais l'impression que vous m'aviez donné votre accord.

Sa voix était plus calme, ses pulsations cardiaques avaient ralenti. Elle affûtait ses armes.

– Et c'est quoi, cette affaire ?

– La femme russe dont on a retrouvé le corps à Vatnsleysuströnd.

– Je vois. L'enquête d'Alexander, c'est bien ça ? Elle a été bouclée il y a une éternité.

– Je n'en suis pas si sûre. Il a bâclé le travail, c'est une honte.

– Quoi ? demanda Magnus d'un ton cassant.

– Allons, Magnus. Vous connaissez aussi bien que moi les méthodes d'Alexander : au petit bonheur la chance !

Hulda se surprenait elle-même. Elle avait toujours eu envie de dire ce genre de choses sans jamais oser. Mais dorénavant, elle n'avait plus rien à perdre.

Magnus ne répondit pas tout de suite. Il finit par admettre :

– Ce n'est peut-être pas notre meilleur inspecteur, c'est vrai…

– Peu importe. Je vous demande de me faire confiance. Je crois avoir trouvé quelque chose, quelque chose que nous avons un peu trop rapidement ignoré… Si elle a été assassinée, c'est notre devoir de tirer ça au clair.

– Non… non… le dossier est clos, répondit Magnus, mais l'hésitation était perceptible dans sa voix.

– Vous ne pouvez pas me virer comme ça. Je dois bien avoir des droits, après toutes ces années.

Il se tut un long moment. Puis, d'un ton abrupt :

– Alors, comment on en arrive à Aki ?

– Il y a toutes les chances pour que la fille russe ait été amenée ici pour travailler dans l'industrie du sexe. Je suis désolée si mon information était fausse. Je ne voulais pas harceler un innocent…

– Un innocent ? dit Magnus avec un rire désabusé. Il est archi-coupable, oui ! C'est même le foutu problème…

– Comment ça ?

– Il dirige le plus grand réseau de prostitution du pays.

– Alors il ne s'est pas plaint de ma visite ?

– Vous plaisantez ? Bien sûr que non, on n'a pas entendu un mot de lui ! Non, vous avez juste failli foutre en l'air des mois de travail acharné. On le surveille de très près, et a priori, il n'en avait pas la moindre idée… jusqu'à ce soir. Grâce à vous.

Hulda était accablée.

– Vous voulez dire que je…

– Oui, vous. Nos hommes en planque autour de son domicile vous ont vue entrer et… il était trop tard. Le mal était fait. On n'a aucun moyen de savoir ce qu'il fait, maintenant – est-ce qu'il prévient des complices, est-ce qu'il détruit des preuves ? À l'heure où je vous parle, l'équipe tient une réunion de crise. L'équipe doit décider si on minimise les dégâts en l'arrêtant maintenant. Le problème, c'est qu'on avait encore besoin de temps pour récolter des éléments contre lui. C'est la merde. Et c'est vous qui en êtes responsable. Autrement dit, ça va me retomber dessus.

– Je ne sais pas quoi dire. J'étais loin de m'imaginer que…

– Évidemment, putain ! Parce que vous n'avez pas pris la peine d'en parler avant ! C'est toujours le même problème, avec vous… Vous n'êtes pas foutue de travailler en équipe.

Magnus abattit le poing sur son bureau.

– Toujours le même foutu problème !

Hulda se braqua devant ce reproche.

– Je n'ai pas toujours eu le choix, vous savez ! Pendant des années, vous et vos copains, vous ne m'avez pas vraiment montré ce qu'était le travail d'équipe. Parfois, j'ai dû me coltiner des affaires toute seule parce que personne ne voulait collaborer avec moi. Vous restiez toujours entre hommes, sans me laisser de place. Oh, je ne me plains pas – de toute façon, c'est trop tard, et puis ce n'est pas mon genre – mais je veux que vous sachiez ce que j'ai ressenti pour que la prochaine femme à travailler sous vos ordres n'ait pas à subir les mêmes conneries.

Magnus semblait abasourdi par sa réaction.

– Je ne vous ai pas traitée différemment de vos collègues de la brigade. Je ne peux pas vous laisser dire ça !

Elle haussa les épaules.

– Magnus, voyons, ne vous racontez pas d'histoires… Mais je pars, donc ce n'est plus mon problème.

– Bon, cette discussion a assez duré. Et cette enquête est terminée.

Cette fois, c'est Hulda qui frappa du poing. Elle continuait de se surprendre elle-même, toute sa colère accumulée explosait.

– Non ! Et j'ai besoin de temps pour la mener à son terme. Vous me devez bien ça !

Magnus resta figé devant cet éclat, abasourdi.

– J'ai besoin de quelques jours de plus, d'une semaine maximum. Et je vous tiendrai informé de mes avancées, pour ne pas couper l'herbe sous le pied de mes collègues. Ça n'était pas du tout mon intention, et vous le savez très bien.

Il réfléchit et finit par concéder, à contrecœur :

– Entendu. Je vous laisse un jour.

– Un jour ? Ça ne suffit pas !

– Eh bien, il va falloir que ça suffise ! J'en ai ras le bol de vos histoires. Je vais devoir me séparer de vous plus tôt. Voilà ce que nous allons faire : demain, je vous laisse tranquille, OK ? Mais après-demain, vous venez ici et vous videz votre bureau. Après, vous aurez tout le temps de vous habituer à votre retraite.

24

La lumière faiblissait.

Elle conduisait depuis un moment maintenant et parvenait à se débrouiller dans la neige. Le 4 × 4 répondait parfaitement à ses sollicitations et la croûte glacée supportait le poids du véhicule. Le blizzard annoncé ne s'était pas encore levé, même si quelques flocons avaient fini par la décider à actionner les essuie-glaces.

Il avait eu raison, au bout du compte : ça faisait partie du package, de l'aventure pour laquelle elle avait signé. Elle regrettait de s'être montrée si tiède plus tôt, face à ce défi.

Après lui avoir suffisamment laissé le volant, il reprit sa place et le 4 × 4 repartit à vive allure, jusqu'à ce qu'une montagne se profile devant eux. Alors, il leva le pied de l'accélérateur et ralentit jusqu'à l'arrêt total.

– Ça ira comme ça. On laisse la voiture ici.

Ils sortirent dans une frêle brume de neige et elle inspecta le décor environnant.

– On monte là-haut, dans la montagne ? demanda-t-elle, incrédule, tremblant à la vue des rochers d'un noir profond qui entaillaient la blancheur de la neige.

Il secoua la tête.

– Non, pas tout là-haut. On va dans la vallée, de l'autre côté de la première ligne de crête. Ça reste quand même un beau challenge.

L'obscurité gagnait le paysage à une vitesse effrayante et elle espérait qu'ils arriveraient à destination avant la fin du crépuscule. Dans cet endroit, la nuit allait être impénétrable : aucune lueur de ville au loin, rien d'autre que des montagnes et de la neige.

– Il y aura… il y aura d'autres gens ?

– Personne ne vient là-bas, répondit-il, catégorique.

Il entreprit de décharger le coffre et leurs sacs à dos atterrirent dans la neige, parmi le reste de l'équipement. Il en ouvrit un et en sortit un pull-over en laine épaisse, le traditionnel lopapeysa islandais.

– Tiens, enfile ça ou tu vas geler sur place, dit-il avec un large sourire que, dans la pénombre, elle n'arriva pas à décrypter.

Elle obéit sans protester, retira son épaisse doudoune. Un tremblement gagna aussitôt son corps. Le froid sans doute, pensa-t-elle. Mais aussi bien, c'était peut-être… peut-être la peur.

Il lui tendit son sac à dos et, chancelant légèrement sous son poids, elle le hissa sur son dos. Il l'aida à régler ses bretelles et à fixer son piolet sur le côté.

Ils avaient à peine fait quelques pas lorsqu'elle réalisa qu'elle était mains nues. En un rien de temps, elle avait perdu toute sensation dans les doigts et elle dut l'appeler pour qu'il l'aide à extirper les gants de son sac. Puis ils reprirent leur marche, progressant lentement dans la neige de plus en plus épaisse. Enfin, il s'arrêta.

– On va essayer de grimper ici. Tu crois que tu peux y arriver ?

Devant elle, un versant abrupt et immaculé s'élevait vers des hauteurs invisibles, une cime obscurcie par la faible lumière. Les flocons lui piquaient les yeux.

– Tu crois que tu peux y arriver ? répéta-t-il.

Elle acquiesça malgré ses doutes, et attendit qu'il ouvre la voie.

– Toi d'abord, ordonna-t-il après un bref silence.

Elle n'en croyait pas ses oreilles. Il n'était pas question qu'elle se lance à l'assaut de cette pente seule et sans aide.

– Moi ? Pourquoi ?

– Je ne sais pas si le manteau neigeux accroche bien là-haut. En cas d'avalanche, je pourrai creuser pour te retrouver.

Elle resta immobile, paralysée par la peur, se demandant s'il plaisantait mais craignant qu'il ne soit parfaitement sérieux.

Il prit les bâtons fixés à son sac à dos et les lui donna en lui ordonnant de se mettre en route.

Il n'y avait rien d'autre à faire : elle s'activa, se déplaçant avec une précaution extrême. Le versant n'était pas trop raide au départ mais il devenait plus abrupt à mesure qu'elle montait. Elle s'efforça de se concentrer sur chaque pas, l'un après l'autre, yeux baissés, sans perdre l'équilibre. De temps en temps, elle jetait un coup d'œil au-dessus d'elle, mais le sol blanc et les flocons de neige se confondaient et elle n'arrivait pas à voir où la pente s'arrêtait. Lever les pieds et trouver ses appuis devenaient de plus en plus pénibles. Bientôt, elle se sentit glisser en arrière à chaque pas et plusieurs tentatives devinrent nécessaires pour progresser de seulement quelques centimètres. Elle tentait de s'arrimer dans la neige en se servant de la pointe de ses bottes, mais sans réel succès. Soudain, dans un moment d'angoisse vertigineux, elle perdit l'équilibre et dévala en glissant la moitié de la pente qu'elle venait de grimper.

25

Quelques nuages zébraient le ciel au-dessus des hauts sapins du jardin de Pétur, comme peints à larges coups de brosse sur la voûte bleue des cieux, et le soleil descendait vers son point le plus bas. En temps normal, cette époque de l'année remplissait Hulda de vitalité, mais pas aujourd'hui. Son entrevue avec Magnus l'avait vidée de son énergie et elle était trop fatiguée pour se consacrer de nouveau à l'enquête : Elena attendrait jusqu'au lendemain matin.

Pétur ouvrit la porte avant qu'elle ait frappé – il l'avait probablement vue arriver depuis la fenêtre de la cuisine. Elle essaya de ne pas montrer sa fatigue.

– Hulda ! Entrez !

Il était toujours aussi cordial, comme un médecin s'adressant à son malade favori. Il la conduisit dans le salon qui faisait aussi office de salle à manger. La table était déjà dressée, en son centre trônait un rôti d'agneau apparemment succulent, tout juste sorti du barbecue – la pièce de résistance. L'odeur était délicieuse et Hulda s'aperçut qu'elle était affamée. Comme elle l'espérait, Pétur avait ouvert une bouteille de vin rouge. Elle avait bien fait de laisser sa voiture chez elle et de venir en taxi…

– Ça a l'air bon ! s'exclama-t-elle.

Il lui avança une chaise puis disparut dans la cuisine. Elle s'installa avec délectation, sentant la fatigue s'envoler peu à peu. Être assise à cette table lui laissait une impression étrange, comme si elle n'était pas à sa place, une sorte d'intruse. Pourtant, une autre part d'elle-même avait la sensation d'être chez elle. Peut-être à cause du jardin qu'elle apercevait par la fenêtre du salon et qui lui rappelait un peu le sien, à Álftanes.

La maison de Pétur n'était pas seulement un endroit chaleureux ; il en émanait quelque chose de confortable, de familier. Oui, elle pouvait aisément s'imaginer vivre ici, à profiter de sa compagnie, préparer le dîner et boire un verre de vin tous les deux…

– Votre journée a été longue ? demanda Pétur en sortant de la cuisine avec un plat de légumes. La mienne a été plutôt calme. Vous apprendrez à apprécier ce genre de choses quand vous serez à la retraite. Une femme en pleine forme comme vous, avec tous vos centres d'intérêt…

Il sourit.

– Sans doute, répondit Hulda d'un air contrit. Et oui, on peut dire que ma journée a été assez… éprouvante.

Pétur s'assit.

– Servez-vous pendant que c'est chaud. En général, c'est très savoureux, grillé de cette façon. Ça me change de pouvoir faire la cuisine pour quelqu'un, c'est bien agréable.

– Merci.

Elle avala une bouchée de viande. La saveur était exceptionnelle. Pétur était un cordon-bleu : c'était un gros point positif.

– Que s'est-il passé ?

– Quoi ?

– Aujourd'hui. Il s'est passé quelque chose, je le sens.

Hulda réfléchit à ce qu'elle pouvait partager avec lui. Parler de l'affaire ne posait aucun problème, elle n'avait aucun doute sur sa discrétion, mais elle hésitait à évoquer la réunion avec Magnus. En partie parce qu'elle avait honte d'avoir commis une bourde, même si cela partait d'une bonne intention.

Après un silence qui s'étira pendant une ou deux minutes sans pour autant paraître gênant, elle se surprit à déclarer :

– J'ai été convoquée par mon chef. Il veut que j'abandonne l'enquête.

– Immédiatement ?

– Oui.

– Pourquoi ? Vous allez obéir ?

– J'ai interrogé un homme et je n'aurais pas dû. C'est une longue histoire, mais en gros, mon enquête a empiété sur une autre. Je n'étais pas au courant, et je dois reconnaître que je suis en partie fautive car je n'ai pas informé mon chef de ma démarche. Il n'avait aucune idée de ce que je fabriquais.

Elle soupira.

– L'inspecteur qui s'est occupé le premier de cette affaire est fou de rage lui aussi. À vrai dire, je suis un peu bouleversée par cette histoire…

– Ça va se régler tout seul. J'en suis sûr.

Comme à son habitude, Pétur paraissait imperturbable.

– Et je vous connais : vous n'allez pas vous laisser faire.

Hulda rit.

– Ça non ! J'ai juste réussi à convaincre mon chef de me laisser un jour de plus. Mon dernier jour…

– Alors autant en faire bon usage.

– Bien parlé !

Elle leva son verre et but une gorgée de vin.

– Autrement dit, j'ai intérêt à ne pas abuser de cet excellent vin !

– Et demain soir, vous serez libre. Félicitations !

– Vous avez le don pour voir le verre à moitié plein.

– C'est votre départ à la retraite, ça se fête, non ?

– Si vous voulez…, répondit-elle, enfin plus détendue. Mais ce repas est déjà une fête. C'est absolument exquis.

– On pourrait monter au sommet de l'Esja ? suggéra Pétur. Qu'est-ce que vous en dites ? Je ne compte plus le nombre de fois où j'y suis allé, mais je ne m'en lasse pas. Tout le monde n'a pas la chance d'avoir une montagne dans son jardin… Et par temps clair, le panorama sur la ville est…

– Vous n'avez pas besoin de me convaincre, je suis partante !

Pour la première fois depuis une éternité, Hulda se sentit sincèrement impatiente. L'espace d'un instant, elle caressa l'idée d'abandonner Elena et de s'accorder la priorité, de donner satisfaction à Magnus en prenant sa retraite immédiatement. Elle était sur le point de proposer un départ pour l'Esja dès le lendemain… Elle avait la phrase sur le bout de sa langue.

Mais elle s'entendit annoncer :

– Très bien ! Partons après-demain. J'ai encore besoin d'une journée pour mon enquête.

Et au même moment, une prémonition la frappa avec une force troublante : elle avait pris la mauvaise décision.

Pour la seconde fois, ils burent trop de vin rouge. Hulda redoutait le lendemain : une nouvelle grasse matinée assortie d'une gueule de bois qui l'empêcherait d'accomplir un travail efficace. Mais Pétur semblait apprécier sa compagnie, et elle devait bien s'avouer que la réciproque était vraie. Il était plus de minuit, le temps filait à toute vitesse tant la conversation était fluide entre eux. Peu pressée de mettre un terme à cette soirée délicieuse, Hulda avait pris place sur le canapé en cuir. Ils étaient assis l'un à côté de l'autre, observant tout de même une distance respectueuse. Pétur prenait bien soin de ne pas se tenir trop près : il savait ce qu'il faisait.

– Vous m'avez dit hier soir que vous n'aviez jamais connu votre père.

Hulda acquiesça.

– Votre mère s'est mariée ou elle vous a élevée toute seule ?

– Non, elle ne s'est jamais mariée. Nous vivions avec mes grands-parents. Je m'entendais très bien avec mon grand-père, c'était la personne dont je me sentais le plus proche. Je crois qu'on se ressemblait beaucoup, par bien des aspects. Il faisait la jonction entre moi et cette partie de la famille. Ma mère et moi n'avons jamais été très proches, mais grâce à Papi, je me sentais faire partie d'un tout, si vous voyez ce que je veux dire. Je n'ai jamais connu les membres de ma famille paternelle, et sans Papi, mon enfance n'aurait certainement pas été très heureuse.

Elle sentait que Pétur la comprenait.

– J'aurais aimé connaître mon père, reprit-elle d'une voix sourde et inconsolable.

Elle se sentit soudain au bord des larmes. Le vin, sûrement. Elle avait conscience d'être un peu ivre, mais c'était trop agréable pour cesser de boire.

– C'était comment, d'être élevée par une mère célibataire, à cette époque ? demanda Pétur en changeant délicatement de sujet, sans trop s'éloigner de leur discussion. Je sais qu'aujourd'hui, c'est parfaitement entré dans les mœurs, mais je me rappelle ce qu'on disait d'un de mes copains de classe qui n'avait pas de père – enfin, qui n'avait pas connu son père.

– C'était dur, admit Hulda en s'emparant de la bouteille pour remplir leurs verres vides. Très dur. Dans mon souvenir, ma mère changeait de travail tout le temps. C'était très inhabituel pour une femme d'être l'unique soutien de famille, et à cause de moi, elle ne pouvait pas toujours travailler autant qu'elle l'aurait voulu. C'était une lutte permanente. On était vraiment fauchées, ce n'est pas excessif de le dire. Si nous avions un toit, c'était uniquement parce que nous avions la chance de vivre avec mes grands-parents. On avait toujours de quoi manger, mais c'était impossible de mettre de l'argent de côté pour quoi que ce soit d'autre. On ne pouvait se permettre aucun luxe. En grandissant, je trouvais ça dur, je suis sûre que vous comprenez…

– Eh bien, en toute franchise, j'ai vraiment du mal à imaginer ce que vous avez vécu, répondit lentement Pétur. Mon père était médecin, comme moi, et nous avons toujours vécu dans le confort. Heureusement. Le pire aspect de la pauvreté, c'est qu'elle n'épargne pas les enfants.

– En réalité…

Hulda laissa sa phrase en suspens. Le vin commençait à l'embrouiller et elle se demanda s'il était bien raisonnable d'aborder le sujet qui lui brûlait les lèvres. Dans quelle mesure pouvait-elle ouvrir son cœur à cet homme ? Lui faire confiance ? Sans doute, lever un coin de voile sur son passé serait une bonne chose – une chose bénéfique, même. Les émotions s'emmagasinaient en elle depuis bien trop longtemps : peut-être était-ce l'occasion tant attendue ? Au bureau, elle ne pouvait jamais parler de ce qui lui tenait à cœur. Aucun de ses collègues plus jeunes n'avait envie d'entendre une femme de soixante-quatre ans évoquer ses hauts et ses bas. En outre, les bons jours, elle comptait ses amis – ses vrais amis – sur les doigts d'une main. Elle décida de prendre le risque.

– En réalité, les choses auraient pu se passer très différemment.

– Ah oui ?

Pétur avait répondu si rapidement, d'une voix si claire, qu'elle se demanda vaguement si elle n'avait pas descendu plus de vin que lui.

– Quand j'étais encore bébé, ma mère m'a placée dans une institution, un foyer pour nourrissons, presque comme un orphelinat. C'est Papi qui m'a raconté ça, ma mère ne m'en a jamais parlé. À l'époque, c'était considéré comme la seule chose à faire pour les mères célibataires. D'après ce que Papi m'a laissé entendre, lui et Mamie ont poussé ma mère à prendre cette décision, et plus tard, il l'a regretté. À ce qu'il dit, j'ai été retirée à ma mère peu de temps après ma naissance. Vous vous rappelez ces foyers ?

– Pas personnellement, non. Mais j'en ai entendu parler.

– Apparemment, ma mère me rendait visite régulièrement, ce qui me semble bien normal. Papi était fier d'elle. Dès qu'elle a réussi à mettre assez d'argent de côté, elle m'a récupérée. C'était tout à fait son droit, même si la plupart des bébés de ces institutions étaient placés ou adoptés.

– Vous êtes restée longtemps là-bas ?

– Presque deux ans. Et pendant tout ce temps, comme si ça n'était pas déjà assez terrible, ma mère n'a pas eu le droit de me toucher, ni de me prendre dans ses bras. A priori, les parents n'avaient le droit de voir leur enfant qu'à travers une vitre. Le personnel pensait que des câlins rendraient la séparation trop douloureuse !

– J'imagine que vous ne vous souvenez pas de…

Pétur laissa la question en suspens.

– Non, je n'ai aucun souvenir de cette époque. J'étais bien trop petite. Mais, un jour, j'ai visité le bâtiment qui abritait ce foyer. Ça remonte à une éternité… En franchissant la porte, j'ai éprouvé une sensation vraiment bizarre. Une impression incroyable de déjà-vu. La vitre avait disparu, mais j'en avais vu des photos. En marchant le long du couloir, je me suis instinctivement arrêtée devant une porte fermée. J'ai demandé à la femme qui me faisait visiter si c'était celle du dortoir des enfants. Elle a hoché la tête pour confirmer. Quand elle a ouvert la porte, j'ai pris ça de plein fouet. Je savais, avec une certitude absolue, que j'avais dormi dans cette pièce. Vous n'êtes pas obligé de me croire, mais c'était une expérience vraiment spéciale…

– Je vous crois.

Comme toujours, il répondait exactement ce qu'il fallait, sans hésitation.

– J'ai un souvenir précis de ma petite enfance, poursuivit Hulda. Il avait été question de me placer. Ma mère m'avait déjà récupérée, nous habitions chez mes grands-parents. Un couple voulait m'adopter. Là encore, c'est Papi qui me l'a raconté, pas ma mère, mais je n'ai aucune raison d'en douter, et cette fois je me rappelle vraiment quelque chose : le voyage en avion. Ce couple vivait près des sables glaciaires de la région de Skaftafell, et c'était toute une expédition à l'époque pour s'y rendre. Je n'ai jamais oublié le vol, même si je n'étais qu'une petite fille. Nous n'avions jamais quitté Reykjavík, j'imagine que j'ai gardé un souvenir marquant de ce voyage parce qu'il était très inhabituel.

– Dites-moi…

Pétur hésita, comme s'il n'était pas sûr de vouloir continuer.

– … mais c'est peut-être une question déplacée.

– Allez-y ! lança Hulda, qui le regretta aussitôt.

– Eh bien… avec le recul, si vous pouviez choisir, aujourd'hui, vous auriez préféré grandir avec votre mère ?

La question stupéfia Hulda – peut-être justement parce qu'elle se l'était souvent posée inconsciemment, sans aboutir à une réponse définitive. Il n'y avait aucun moyen de savoir si l'herbe aurait été plus verte chez des étrangers. L'argent avait-il de l'importance ? Est-ce que la pauvreté dans laquelle elle avait grandi, le combat permanent pour joindre les deux bouts, avait eu un effet durable sur elle ?

Elle songea à son enfance, essayant de se remémorer des moments heureux. Comme cette fois où, dans sa chambre, elle écoutait une grande personne lui lire une histoire. De quoi parlait l'histoire, elle ne savait plus. Pourtant, le souvenir palpitait encore en elle, vivant et chaud. La personne assise à ses côtés devait être son grand-père – certainement pas sa mère.

Ou bien cette fois où elle s'était rendue toute seule au magasin du coin – elle devait avoir huit ou neuf ans. La boutique était fermée depuis longtemps désormais, mais à l'époque, elle était allée dépenser tout son argent de poche, un magot patiemment gagné en travaillant pour son grand-père l'été – quelques petits travaux de bricolage. Tout était lié à son grand-père, jamais à sa mère – pourtant, sa mère s'était toujours montrée gentille avec elle.

Elle prit son temps avant de répondre :

– Entre vous et moi, et ce sera la faute du vin si je regrette cette discussion plus tard, je dois admettre que j'aurais pu avoir une enfance plus heureuse. Maintenant, est-ce que l'adoption aurait résolu le problème ? C'est impossible à dire. Ce que je crois, ce dont je suis absolument certaine, c'est que ma vie aurait été meilleure si j'avais pu rester avec ma mère dès le début. Je sais que les enfants ne sont pas censés se souvenir de leurs premières années, mais se souvenir est une chose, ressentir en est une autre. Je pense que j'ai perçu l'insécurité et que ça m'a affectée pendant toute ma vie. Je pense aussi que ma pauvre mère s'est sentie coupable depuis le moment où elle m'a confiée au foyer, et ce jusqu'à son dernier jour. Et la culpabilité peut être un fardeau très pesant.

– Je suis désolé, Hulda. Je ne voulais pas paraître aussi indiscret.

– Ça n'est pas grave. J'en ai assez d'être trop sensible vis-à-vis de mon passé. Ce qui est fait est fait, ça ne sert à rien de se lamenter. Même si, fatalement, on regrette certaines choses… des choses qui restent tapies, à l'affût, prêtes à vous piéger dans vos rêves.

Hulda laissa un silence s'installer. Son regard parcourait l'élégant salon pendant qu'elle songeait – et ce n'était pas la première fois – que Pétur ne saurait jamais ce que c'est qu'être démuni.

Il ouvrit la bouche, mais Hulda le devança :

– Vous me posez tout le temps des questions sur moi…

Elle sourit pour ne pas lui laisser croire qu'il s'agissait d'un reproche.

– … parlons un peu de vous, maintenant. Cette maison, c'est vous et votre femme qui l'avez fait construire ?

– Eh bien, oui, effectivement. C'est un lieu de vie merveilleux. Le quartier aussi est très agréable, bien sûr. À une époque, nous avons failli la vendre, mais je suis très heureux que ça n'ait pas abouti. J'y suis très attaché. Elle renferme tant de souvenirs – des bons et des mauvais, naturellement… Je suis décidé à y rester, même si elle est beaucoup trop grande.

Après une pause, il précisa :

– Trop grande pour une personne, je veux dire.

– Pourquoi ?

– Pardon ?

– Pourquoi avez-vous failli la vendre ?

Avec son instinct de policière, cette remarque trop évasive ne lui avait pas échappé.

Pétur ne répondit pas tout de suite. Il se leva, alla chercher une autre bouteille puis reprit place sur le canapé, toujours courtoisement distant.

– Il y a une quinzaine d'années, nous avons envisagé de divorcer.

Hulda sentit que cette confidence lui coûtait.

Elle attendit sans dire un mot.

Après une longue pause et une nouvelle gorgée de vin, Pétur ajouta :

– Elle avait une liaison. Depuis plusieurs années, sans que je me doute de rien. Quand par pur hasard j'ai découvert le pot aux roses, elle a déménagé. J'ai réclamé le divorce et la procédure allait aboutir quand elle est revenue vers moi pour me supplier de lui accorder une seconde chance.

– Ça a été facile de lui pardonner ?

– À vrai dire, oui. Peut-être parce que c'était elle, elle que j'aimais depuis toutes ces années… Ça n'avait pas changé. Je crois que c'est dans ma nature. J'ai toujours été prompt à pardonner, je ne sais pas pourquoi.

Peut-être n'étaient-ils pas aussi bien assortis qu'elle le croyait. Pour sa part, elle était incapable de pardonner rapidement.

– Vous m'avez dit que vous aviez habité à Álftanes ? reprit-il en changeant de sujet. Vous aviez une maison là-bas ?

– Oui. C'était…

Elle prit le temps de bien choisir ses mots.

– C'était un endroit splendide, juste au bord de la mer. Le bruit des vagues me manque toujours. Et vous ? Vous avez déjà vécu au bord de la mer ?

– À une époque, oui. Mon père était médecin dans l'est du pays, mais moi, je suis vraiment un citadin. J'ai grandi dans le vacarme de la circulation plutôt que dans le bruit des vagues. Vous avez vendu votre maison à la mort de votre mari ?

– Oui. Je n'avais plus les moyens de l'entretenir.

– Vous m'avez dit qu'il était mort assez jeune, c'est ça ?

– Oui. Cinquante-deux ans.

– Terrible. C'est terrible.

Hulda acquiesça.

Malgré la gravité des sujets dont ils discutaient, le salon lui paraissait un havre de paix. Dehors, la nuit était aussi sombre qu'elle pouvait l'être en mai. Mais à cet instant, son téléphone sonna, fracassant l'ambiance de son vacarme strident. Hulda lança un regard désolé à Pétur et extirpa l'engin des profondeurs de son sac à main. Elle eut du mal à cacher sa surprise – le mot était faible – quand elle vit qui l'appelait, d'autant qu'il était minuit passé. L'infirmière qui avait renversé le pédophile. La femme à qui Hulda avait sauvé la vie en tirant un trait sur ses aveux. Elle avait espéré ne plus jamais entendre parler de cette histoire.

Hulda ne prit pas la peine de décrocher et rejeta l'appel.

– Pardon… On n'est jamais tranquille !

Pétur sourit.

– À qui le dites-vous…

Elle posa le téléphone sur la table, à côté de la bouteille de vin à peine entamée. Vu ce qu'il leur restait à boire, leur conversation était loin de toucher à sa fin.

La sonnerie retentit de nouveau.

– Merde ! marmonna Hulda, plus fort qu'elle ne l'aurait voulu.

– Allez-y, répondez, ça ne me dérange pas, proposa Pétur, plein d'attention.

Mais Hulda n'avait absolument aucune envie de parler à cette malheureuse qui était sans doute encore bouleversée par son crime et avait désespérément besoin de soulager sa conscience auprès de la seule personne à connaître la vérité. Hulda n'avait pas vocation à jouer les confesseurs, surtout en ce moment. Elle profitait avec bonheur de la compagnie de Pétur, il n'y avait aucune raison de ruiner l'ambiance.

– Non, rien d'urgent. D'ailleurs, je me demande ce qui lui prend de m'appeler si tard… Quel sans-gêne !

Hulda rejeta de nouveau l'appel et, cette fois, éteignit son téléphone.

– Là ! Comme ça, on aura la paix.

– Je vous ressers ? suggéra Pétur en remarquant son verre à moitié vide.

– Je ne dis pas non. Mais il vaut mieux que je m'arrête après : j'ai du travail demain, n'oubliez pas !

Pétur remplit son verre. S'ensuivit un assez long silence. Hulda ne trouvait rien à dire ; elle était trop fatiguée et l'alcool n'aidait pas.

– Était-ce une décision délibérée de votre part de ne pas avoir d'enfant ?

La question de Pétur la prit de court. Elle resta sans réaction, même si elle aurait dû prévoir de parler de ce sujet – si sa relation avec Pétur évoluait dans le sens attendu, en tout cas.

Elle prit son temps pour formuler sa réponse et Pétur attendit patiemment, comme à son habitude. Il donnait l'impression de ne pas s'agacer facilement.

– Nous avions une fille, dit-elle enfin.

Elle avait choisi la réponse la plus directe.

– Je suis désolé… je pensais…

Pétur paraissait étonné, voire désarçonné.

– Je pensais que vous aviez dit… j'avais l'impression que vous et votre mari n'aviez pas eu d'enfants.

– Parce que c'est un sujet que j'évite volontairement. Pardonnez-moi… c'est toujours difficile pour moi d'en parler.

Elle entendit sa voix flancher et prit sur elle pour que son visage ne s'effondre pas.

– Elle est morte.

– Je ne sais pas quoi dire, répondit Pétur d'un ton hésitant. Je suis navré de l'apprendre…

– Elle s'est suicidée.

Hulda sentait les larmes glisser sur ses joues. De fait, elle n'avait pas l'habitude d'évoquer ce sujet. Même si elle pensait à sa fille tous les jours, elle n'en parlait presque jamais.

Pétur ne disait plus un mot.

– Elle était si jeune… Elle venait de fêter ses treize ans. Après cela, nous n'avons pas essayé d'avoir un autre enfant. Jón avait cinquante ans, et moi dix de moins.

– Mon Dieu… décidément, rien ne vous a été épargné, Hulda.

– Je n'arrive pas à en parler, je suis désolée. Enfin, voilà ce qui est arrivé. Et puis Jón est mort, et depuis, je suis seule.

– Ça va peut-être changer…, hasarda Pétur.

Hulda essaya de sourire mais elle se sentit brusquement piégée par la fatigue. Elle en avait assez ; elle avait besoin de rentrer chez elle.

Instinctivement, Pétur ressentit ce changement d'humeur.

– On peut en rester là pour ce soir, si vous le souhaitez.

Hulda haussa les épaules.

– Oui, peut-être. J'ai passé une soirée très agréable, Pétur.

– Et si nous reprenions demain soir ?

– Oui ! répondit-elle sans hésitation. Je m'en réjouis…

– Peut-être pourrions-nous aller au restaurant ? Pour fêter votre retraite ! Je vous invite à l'hôtel Holt, qu'est-ce que vous en dites ?

L'offre était généreuse.

– Mon Dieu, oui, ce serait merveilleux. Je n'y suis pas allée depuis une éternité… Plus de vingt ou trente ans !

Le restaurant de l'hôtel Holt était un des établissements les plus huppés de Reykjavík. Hulda se souvenait très bien de la dernière fois où elle y avait été : c'était un dîner d'anniversaire, avec son mari et sa fille, un repas joyeux – cher mais inoubliable.

– Je ne peux quand même pas vous obliger à supporter ma cuisine tous les soirs ! Entendu, alors…

Hulda se leva et Pétur lui emboîta le pas. Il lui donna un baiser sur la joue.

– L'agneau était délicieux, dit-elle. J'aimerais savoir le préparer aussi bien.

Une fois arrivés dans l'entrée, Pétur lui demanda abruptement :

– Comment s'appelait-elle ?

Hulda sursauta. Elle avait compris sa question mais feignit le contraire, pour gagner du temps.

– Pardon ?

– Votre fille, comment s'appelait-elle ?

Sa voix était bienveillante, son intérêt sincère.

Hulda se rendit compte qu'elle n'avait pas prononcé à haute voix le prénom de sa fille depuis des années. Elle fut envahie par la honte.

– Dimma. Elle s'appelait Dimma. Inhabituel, je sais. Cela signifie « obscurité ».

DERNIER JOUR

1

Hulda se retourna dans son lit, rechignant à se lever. Elle enfouit sa tête dans son oreiller, essaya de retrouver le sommeil mais le mal était fait : elle n'arriverait plus à se rendormir. Jadis, elle avait été capable de savourer une bonne grasse matinée, mais avec l'âge, cette aptitude la désertait peu à peu.

Quoi qu'il en soit, quand elle regarda son réveil, elle découvrit avec dépit qu'elle avait dormi aussi tard que la veille – autrement dit, trop tard.

Elle devrait exploiter au mieux chaque minute de sa journée si elle voulait boucler son enquête, mais dès qu'elle se redressa, un terrible mal de crâne la foudroya. La soirée chez Pétur avait été délicieuse, mais elle n'aurait pas dû boire autant : elle n'avait plus l'habitude. D'ordinaire, elle se contentait d'un seul verre de vin pour accompagner ses repas. Cette fois, il lui faudrait ignorer sa gueule de bois pour se concentrer sur l'affaire, même si l'intérêt qu'elle y portait se dissipait rapidement. Hormis sa loyauté envers la fille russe, la seule chose qui la motivait encore était son obstination absolue. Elle ne pouvait tout simplement pas laisser Magnus avoir le dernier mot. Après l'avoir harcelé pour qu'il lui accorde vingt-quatre heures de plus, elle devait tout donner avant de lui rendre son rapport dans la soirée et de dire adieu pour de bon à la police.

Elle réalisa alors que ce qu'elle attendait vraiment avec impatience, c'était son prochain rendez-vous avec Pétur. Elle comptait les heures avant le dîner à l'hôtel Holt.

2

Elle tenta de se relever sur la neige glissante, mais le poids de son sac à dos la déséquilibrait.

– Descends ! cria-t-il.

Obéissante, elle redescendit à quatre pattes. Quand elle parvint saine et sauve tout en bas, elle remercia sa bonne étoile.

– Donne-moi tes bâtons. On va mettre les crampons et tu vas utiliser ton piolet.

Mieux équipée cette fois, elle repartit à l'assaut de la pente, le cœur battant.

L'ascension était toujours ardue, mais grâce aux crampons, ses appuis dans la neige étaient plus assurés. Centimètre par centimètre, elle progressa vers le sommet en priant pour ne pas perdre de nouveau l'équilibre, les yeux fixés sur le sol devant elle, terrifiée à l'idée de partir en arrière en atteignant le point le plus abrupt du versant. Elle avançait un pas après l'autre, laborieusement, quand soudain elle réalisa qu'elle déployait moins d'effort – elle avait sans doute passé le plus dur. De fait, le chemin devant elle paraissait plus facile. Ses genoux ployèrent sous l'effet du soulagement et elle s'assit dans la neige. Elle se sentait mentalement et physiquement épuisée. La pente était si raide qu'elle ne voyait même pas s'il avait commencé à grimper, et encore moins à quelle hauteur il se trouvait, mais elle n'osait pas l'appeler depuis sa remarque – à moitié moqueuse – sur les risques d'avalanche. Bon Dieu, mais comment avait-elle pu se laisser convaincre de le suivre dans cette folie ?

3

L'heure du petit déjeuner était passée depuis longtemps, mais Hulda ne pouvait toujours pas avaler quoi que ce soit. Elle décida d'aller s'aérer un peu et marcha jusqu'au supermarché au coin de la rue. Une épaisse couche de nuages gris obscurcissait le ciel et le vent soufflait en bourrasques violentes pour la saison. Le printemps n'aurait-il duré qu'une seule journée ?

Cette météo morose douchait l'humeur de Hulda. Elle avait toujours mis un point d'honneur à ne pas se laisser influencer par le climat imprévisible de l'Islande, mais elle avait espéré que ce jour particulier, le dernier de son ancienne vie, débute sous de meilleurs auspices.

Toute la nuit, Dimma l'avait visitée en rêve. Malgré cela, pour une fois, elle avait bien dormi. Certes, ses songes avaient été chargés de tristesse, mais le cauchemar qui la hantait depuis des années l'avait épargnée. Peut-être était-ce une coïncidence, mais elle soupçonnait qu'avoir pu parler de Dimma avait été bénéfique, en particulier à un auditeur aussi attentif que Pétur. Un jour, qui sait, elle parviendrait peut-être à lui parler librement de sa fille, à lui raconter des histoires sur elle, son adorable fille, si douce…

Hulda errait sans but dans les allées du supermarché. Rien ne la tentait particulièrement ; elle ressortit avec les seuls articles qui avaient attiré son attention : une bouteille de Coca et des gaufrettes au chocolat Prins Póló : cela lui rappelait l'époque où l'Islande commerçait avec l'Europe de l'est – du chocolat polonais contre le poisson islandais. Comme le monde avait changé.

Une fois remise d'aplomb, elle avait prévu de se rendre dans la péninsule de Reykjanes et de faire d'une pierre deux coups – voire plus, si possible. D'abord, si ce n'était pas trop tard, parler à la femme syrienne. Comme elle avait été arrêtée la veille, Hulda supposait qu'elle se trouvait en cellule dans la zone de détention de l'aéroport, à moins qu'elle n'ait été renvoyée dans son pays sur un des premiers vols de la journée. Bon sang, pourquoi n'avait-elle pas organisé un interrogatoire ? Ou au moins fait sonner son réveil plus tôt ? Avec l'approche de sa retraite, elle devenait vraiment négligente.

Elle devait aussi s'arrêter au foyer de Njardvík pour montrer la photo de Baldur Albertsson à Dora. Si celle-ci était absente, elle pourrait toujours lui envoyer la photo par e-mail, mais elle préférait être là pour voir sa réaction, à tout hasard. À ce stade de l'enquête, Hulda sentait qu'il ne fallait rien négliger.

Elle comptait aussi profiter de l'occasion pour examiner la crique où Elena était morte – plus exactement, où son corps avait été retrouvé. Il était toujours possible qu'elle ait rendu son dernier souffle ailleurs.

Hulda était au volant, sur le point de quitter la ville quand elle se fit la réflexion qu'elle n'était sans doute pas en état de conduire, avec tout l'alcool qui devait encore flotter dans ses veines. Elle ne s'était pas trouvée dans cette position depuis des années. Au carrefour suivant, elle fit demi-tour et rentra chez elle, puis appela un taxi.

Elle s'installa confortablement sur la banquette et se laissa aller. C'était un soulagement de pouvoir se détendre ainsi en se laissant conduire, d'autant que le taxi était une berline luxueuse et rutilante dont le moteur feulait le long de la quatre-voies de Reykjanes, propulsant Hulda dans un monde de volupté et de vitesse, à des années-lumière de son antique tacot.

Les champs de lave noire se déployaient sous ses yeux, volaient devant les vitres de la voiture, majestueux dans leur austère simplicité et aussi monotones qu'un refrain répété en boucle. Elle avait lu quelque chose sur la façon dont ils s'étaient formés ; certains étaient bien antérieurs aux premiers habitants de l'Islande, installés durant le IXe siècle ; d'autres provenaient d'éruptions plus tardives. À mesure qu'ils s'éloignaient de Reykjavík, les nuages devenaient plus sombres et plus denses, jusqu'à ce que quelques gouttes de pluie commencent à éclabousser le pare-brise.

La combinaison de la pluie et de la lave avait un effet apaisant sur Hulda. Elle laissa ses paupières se fermer, non pour s'assoupir mais pour se préparer aux défis de sa journée. Une succession d'images défila dans son esprit, mais Elena n'occupait plus le premier plan : elle disparaissait derrière les profils nets de Dimma et Pétur.

Elle s'attarda sur lui plus qu'elle ne l'aurait cru, comme si elle acceptait soudain l'inéluctable. C'était vrai, l'âge l'avait rattrapée par surprise, cruellement, mais le changement pouvait être positif. Après tout, elle méritait peut-être certaines satisfactions : la grasse matinée un jour de semaine, enquiller les bouteilles de vin en compagnie d'un charmant médecin sans avoir mauvaise conscience. Elle méritait d'oublier son cauchemar, une fois de temps en temps. Elle méritait de ne plus recevoir d'ordres d'un chef incompétent qui n'aurait jamais dû devenir son supérieur.

Perdue dans ses pensées, elle s'endormit. Le conducteur la réveilla en lui annonçant leur arrivée. Elle mit un moment à identifier l'endroit : le commissariat de Keflavík.

Dormir au beau milieu de la journée ne lui ressemblait pas, a fortiori dans un taxi. Ça devait être dans l'air ; rien ne se déroulait comme d'habitude aujourd'hui. Hulda pressentait que quelque chose allait se passer, mais elle ne savait pas encore quoi.

4

La nuit était tombée d'un coup. Une fois en haut de la pente, ils avaient repris leur progression sur terrain plat puis s'étaient accordé une brève pause, le temps de fixer leurs lampes frontales. À présent, elle voyait nettement où elle mettait les pieds, mais au-delà de l'étroit cône de lumière, tout était enveloppé dans l'obscurité. Quand elle demanda s'ils approchaient de l'endroit où ils devaient passer la nuit, il secoua la tête.

– On a encore pas mal de marche.

La neige était d'une telle perfection, scintillante dans la lumière de sa lampe frontale, que la fouler et briser sa surface immaculée semblaient presque un sacrilège. Jamais elle n'avait ressenti une connexion aussi intime avec la nature. Le paysage, comme pris dans une gangue de glace, avait quelque chose de magique et de mystérieux. Absorbée dans la beauté des éléments, elle faisait de son mieux pour oublier ses craintes au sujet de cette expédition.

Bientôt, le terrain dur et glacé se fit plus mou, plus profond. Elle s'arrêta un moment, éteignit sa lampe et laissa son regard s'accoutumer à l'obscurité. Autour d'eux, on devinait les contours de buttes et de monticules couverts de neige, et elle s'aperçut avec une acuité soudaine que sans lui, elle serait totalement perdue. Elle n'avait pas la moindre idée de comment se rendre à la cabane, ni de comment retourner à la voiture. Sans lui, elle mourrait à coup sûr dans le froid.

Cette pensée la fit trembler.

Elle ralluma sa lampe, baissa la tête et reprit obstinément sa marche, suivant les pas de son guide. La distance entre eux s'était accrue, elle accéléra le rythme pour le rattraper, mais dans sa hâte, elle préjugea de ses forces, et soudain, le sol céda sous ses pieds. Elle s'enfonça d'un coup dans la neige molle et la panique la submergea – elle était tombée dans un trou dont elle ne pourrait jamais ressortir. Il n'était en réalité pas aussi profond qu'elle le craignait, mais s'extirper des griffes de la congère se révéla impossible, surtout avec le poids du sac à dos. Elle l'appela, d'abord d'une voix tremblante puis de plus en plus fort, jusqu'à ce qu'il l'entende, revienne sur ses pas et l'aide à se hisser hors du trou. Ils reprirent leur marche. Elle le suivait toujours et le bruit de l'eau ruisselant sous la neige lui parvenait par intermittence, un son familier réconfortant parmi le silence inhumain des montagnes.

Brusquement il s'arrêta, tournant la tête de tous côtés, comme pour étudier la topographie du terrain. Elle distinguait à peine la forme sombre de la montagne au loin, ses versants ravinés rendus flous par un rideau blanc.

Elle tendit l'oreille, mais le gargouillis de l'eau avait cessé. Le silence régnait sans partage.

5

– On dirait que vous avez de la chance, lui lança le brigadier de service, un grand type nonchalant sans une once de graisse qui se prénommait Oliver. Beaucoup de chance, même. Cette Syrienne est encore là. On avait prévu de la renvoyer ce matin, mais la personne qui s'occupe de son cas a trouvé le moyen de bloquer la procédure. Vous voyez le genre.

– À tout hasard, ce ne serait pas Albert Albertsson ?

– Albert ? Non, ça ne me dit rien. C'est une femme.

– Comment elle s'appelle ?

– Si je devais me rappeler les noms de tous ces avocats…

– Non, je veux dire, la femme syrienne ?

– Hum…

Oliver fronça les sourcils.

– Attendez, c'est comment déjà ? Amena, je crois. Oui, Amena.

– Pourquoi est-elle expulsée ?

– Une décision officielle. Rien à voir avec moi. Je suis juste responsable de son embarquement dans l'avion.

– Je peux lui poser quelques questions ?

Il haussa les épaules.

– Rien ne vous l'interdit, mais je ne sais pas si elle acceptera de vous voir. Je ne peux rien vous promettre.

Elle n'a pas spécialement d'affection pour la police islandaise, ça ne vous surprendra pas... Pourquoi voulez-vous lui parler ?

Il devait avoir trente ans de moins que Hulda, mais ni sa voix ni son attitude ne traduisaient la moindre déférence envers elle. Elle le constatait de plus en plus souvent et ça ne manquait jamais de l'agacer : la jeune génération prenait le pouvoir et la considérait comme obsolète, comme si l'expérience ne comptait plus de nos jours.

Elle soupira d'impatience.

– C'est au sujet d'une enquête que je mène. Une demandeuse d'asile retrouvée morte sur la côte, pas loin d'ici.

– Ah oui, à Flekkuvík. Je m'en souviens. J'ai été appelé sur place avec mon équipier quand on a découvert le corps. Elle était étrangère, c'est ça ? Elle n'avait pas supporté l'attente...

– Elle était russe.

– Ouais, c'est ça.

– Que vous rappelez-vous en particulier ?

– Rien de spécial. C'était qu'un suicide de plus. Elle était allongée dans l'eau, pas très profonde. Morte de toute évidence. On ne pouvait rien faire de plus.

Pourquoi vous rouvrez le dossier ?

Elle résista à l'envie de lui dire de se mêler de ses oignons.

– De nouveaux éléments. Je ne suis pas autorisée à entrer dans les détails.

Puis, se penchant vers lui, elle murmura sur le ton de la confidence :

– L'affaire est assez... délicate.

Imperceptible haussement d'épaules. De toute évidence, son intérêt était assez limité, et Hulda avait la nette impression qu'il ne croyait pas une vieille peau capable de mener à bien une enquête de police.

– Entendu. Je peux vous laisser lui parler, puisque vous insistez.

On aurait dit qu'il s'adressait à une vilaine petite fille. Hulda se força à ravaler une réplique cinglante.

– Mais nos deux salles d'interrogatoire sont occupées. Ça vous dérange si l'entretien se déroule dans sa cellule ?

Hulda n'en revenait pas. Elle eut envie de le remercier poliment et de s'en aller, tirant un trait sur cette piste, mais elle se ravisa.

– Oui, ça devrait aller.

Autant consacrer ses dernières heures dans la police à quelque chose d'utile.

– Je reviens.

Il disparut pour réapparaître presque aussitôt.

– Suivez-moi.

Il la conduisit jusqu'à une cellule, ouvrit la porte et referma à clé derrière elle. Dès qu'elle se retrouva enfermée, Hulda frissonna. Enfant, chaque fois qu'elle faisait une bêtise, sa grand-mère l'enfermait dans le placard du cellier pour qu'elle médite sur ses péchés. Le placard était un lieu sombre et exigu et, pire encore, sa grand-mère fermait toujours la porte à clé. Ni son grand-père ni sa mère n'osaient s'interposer. Sans doute ne mesuraient-ils pas combien cette épreuve était terrible, mais elle l'affligerait sa vie durant, déclenchant chez elle une phobie de l'enfermement dans des espaces confinés. Pour faire diversion, elle s'efforça de trouver quelque chose de positif à quoi se raccrocher : la soirée qu'elle allait passer avec Pétur, voilà qui ferait l'affaire. Elle devait être forte, pour elle comme pour Elena.

Assise sur une paillasse vissée au mur, la femme syrienne était une silhouette maigre, évanescente, voûtée. L'image même du malheur.

– Bonjour. Je m'appelle Hulda.

La femme ne réagit pas, bien que Hulda lui ait parlé en anglais. Il n'y avait aucune chaise dans la cellule ; estimant qu'il serait malvenu de s'asseoir à côté de la réfugiée à ce stade, Hulda resta près de la porte.

– Hulda, répéta-t-elle, lentement et distinctement. Et vous vous appelez Amena ?

La femme leva les yeux, son regard craintif croisa un instant celui de Hulda puis elle regarda le sol, bras croisés en un geste protecteur. Elle était jeune, pas encore la trentaine, peut-être vingt-cinq ans.

Hulda reprit :

– Je suis de la police.

Juste au moment où elle commençait à se demander si la jeune femme comprenait l'anglais, celle-ci répondit d'un ton bourru :

– Je sais.

– J'ai besoin de vous parler. De vous poser quelques questions.

– Non.

– Pourquoi non ?

– Vous vouloir renvoyer moi dans mon pays.

– Non, je ne suis pas du tout là pour ça, répondit Hulda d'une voix douce et lente. Je mène une enquête et vous pouvez peut-être m'aider.

– C'est un piège. Vous vouloir renvoyer moi dans mon pays.

– Pas une enquête sur vous, je vous assure. Ça concerne une femme russe. Elle est morte. Elle s'appelait Elena.

Amena parut soudain s'animer.

– Elena ?

Puis, avec véhémence :

– Je savoir ! Enfin…

– Que voulez-vous dire ?

– Quand elle mourir… Quelque chose bizarre arriver. Je dire au policier.

– Au policier ? Un homme ? Alexander ?

– Un homme, oui. Lui se foutre.

Son anglais avait beau être primitif, elle savait parfaitement faire passer le message.

Une fois de plus, Hulda maudit Alexander pour son incompétence et ses idées préconçues. Quels étaient les autres « oublis » dans son rapport ? Il prétendait avoir résolu l'affaire, et pourtant, elle tâtonnait dans le noir.

– Qu'est-ce qu'il y avait de bizarre dans sa mort, selon vous ?

– Elle avoir autorisation rester dans pays. Rester Islande. Eux dire oui.

Amena était catégorique. Hulda acquiesça.

La jeune Syrienne reprit :

– Personne avec permis de séjour faire ça. Sauter dans l'eau. Elle très heureuse. Elle passer soirée à la réception, au téléphone. Elle très heureuse. Nous tous très heureux. Elena, très gentille fille. Bon cœur. Honnête. Beaucoup de problèmes dans vie en Russie. Et puis… le lendemain, morte. Morte.

Hulda acquiesça. Elle prenait bonne note de ce récit, même si elle n'oubliait pas que cette vision positive d'Elena était peut-être légèrement brouillée par leur amitié et par ce que la femme syrienne projetait de ses propres rêves d'asile.

L'espace clos commençait à l'angoisser et ses facultés de concentration s'en ressentaient. Elle transpirait, ses mains étaient moites et son cœur battait trop vite. Il fallait qu'elle conclue cette discussion rapidement et qu'elle sorte.

– Pensez-vous qu'elle ait pu être amenée en Islande pour travailler comme prostituée ?

Amena tombait des nues.

– Quoi ? Prostituée ? Elena ? Non. Non, non, non. Pas possible…

Elle semblait chercher ses mots, espérant pouvoir réfuter la minuscule graine de doute que la question de Hulda venait de semer dans son esprit.

– Non, non, je sûre et certaine. Elena, pas prostituée.

– Un témoin nous a parlé d'un homme qui est venu la chercher en voiture. Petit, gros, qui conduisait un 4 × 4 – une grosse voiture. J'ai pensé que c'était un client…

– Non, non. Peut-être avocat ? Lui conduire grosse voiture.

Amena réfléchit un moment puis précisa :

– Mais lui, pas gros. Je pas me rappeler son nom. Pas mon avocat, mon avocat être femme.

– Mais qui pouvait être cet homme dans la grosse voiture ? Vous avez une idée ? Quelqu'un qu'Elena connaissait ?

Amena secoua la tête.

– Non, je pense pas.

Hulda décida de s'arrêter là. Sa claustrophobie avait atteint des sommets – elle ruisselait de sueur et se sentait mentalement vidée. Mais Amena intervint avant qu'elle n'ait eu le temps de prendre congé :

– Écoute, vous devoir m'aider. Je aider vous, je pas pouvoir retourner mon pays. Pas possible ! jeta-t-elle d'une voix rauque et désespérée qui bouleversa Hulda.

– Eh bien, ça va être difficile mais… je vais en parler à l'officier de service, d'accord ?

– Vous demander lui aider moi. Dire que moi aider vous. Pitié.

Hulda hocha la tête puis changea de sujet :

– Vous avez une idée de ce qui a pu vraiment arriver à Elena ? Quelqu'un avait une raison de la tuer ? Si oui, qui ?

– Non, répondit tout de suite Amena. Pas idée. Elle connaître seulement avocat. Elle pas d'ennemis. Très bonne fille !

– Je vois. Eh bien, merci de m'avoir parlé. J'espère que vos affaires vont s'arranger. Ça m'a fait plaisir de rencontrer quelqu'un qui a connu Elena. Ce qui lui est arrivé est très triste. Vous étiez amies ? C'était votre meilleure amie ?

– Meilleure amie ?

Amena secoua la tête.

– Non. Bonne amie. Sa meilleure amie être Katja.

– Katja ?

– Oui. Russe aussi.

– Russe ?

Hulda était tellement surprise qu'elle oublia pour un temps son sentiment d'étouffement.

– Il y avait deux filles russes ?

– Oui. Elles arriver ensemble. Katja et Elena.

Bon sang ! Katja avait sans doute quitté l'Islande depuis des mois, alors qu'il aurait à tout prix fallu l'interroger. Hulda avait besoin de sentir davantage Elena, de mieux comprendre ce qui lui était passé par la tête, de savoir de qui elle était proche, de qui elle avait peur, et si elle avait vraiment été victime d'un réseau de prostitution.

– Vous savez où est Katja ? Elle aussi a reçu un permis de séjour ?

– Je pas savoir. Personne savoir.

– Comment ça ?

Le cœur de Hulda s'emballa – cette fois d'excitation plutôt que de panique.

– Elle disparaître.

– Elle disparaître ? C'est-à-dire ?

– Oui, disparaître. Ou s'enfuir. Ou se cacher. Ou quitter pays. Je pas savoir.

– C'est arrivé quand ?

Amena fronça les sourcils.

– Avant mort Elena. Des semaines avant. Un mois peut-être. Je pas sûre.

– Vous n'étiez pas inquiètes ? Qu'a fait la police ?

– Oui… oui, bien sûr. Mais elle disparaître, comme ça… Si seulement je avoir fait ça… Et pas retrouvée par personne, je crois.

– Et Elena ? Comment a-t-elle pris la nouvelle ? Vous dites que Katja était sa meilleure amie.

– Eh bien… au début, elle en colère. Elle dire Katja idiote. Elle croire autorisation de rester pour toutes les deux. Mais après…

Le visage d'Amena se fit grave.

– Après, elle inquiète. Très inquiète.

– Comment a-t-on expliqué sa disparition ?

Hulda ne s'attendait pas vraiment à une réponse. Amena secoua la tête.

– Elle juste partir, pas vouloir attendre expulsion. Les gens ici, très…

Elle cherchait le mot juste.

– … désespérés. Oui, nous tous très désespérés.

– Comment était Katja ?

– Gentille. Sympathique. Très belle.

– Est-ce possible que ce soit elle, pas Elena, qui travaillait comme prostituée ?

– Non. Non, je pas croire.

– Je vois.

Hulda s'était laissée totalement absorber par son interrogatoire, mais le sentiment de claustrophobie l'assaillit de nouveau, avec une vigueur redoublée.

Elle remercia chaleureusement Amena pour son aide puis frappa quelques coups à la porte et attendit – avec quelques tressaillements nerveux – qu'Oliver vienne lui ouvrir.

– Toi pas oublier, dit Amena, rompant le silence. Toi m'aider.

Hulda acquiesça.

– Je ferai de mon mieux.

À cet instant, la porte s'ouvrit.

– Vous avez eu ce que vous vouliez ? demanda Oliver sans grand intérêt.

– On va avoir une petite discussion, vous et moi, répliqua Hulda du ton d'un officier supérieur s'adressant à un sous-fifre.

Elle jeta un dernier coup d'œil dans la cellule avant qu'Oliver ne referme la porte et entrevit le visage de la femme syrienne dans l'embrasure, l'image même du désespoir.

6

La rivière coulait désormais en surface et ils longeaient ses berges au milieu d'une étroite vallée cernée par les montagnes.

– Regarde ! dit-il soudain en agitant la main dans l'obscurité. C'est notre cabane !

Elle plissa les yeux dans la direction indiquée, tentant de percer la fine brume de neige, mais c'est seulement en s'approchant qu'elle distingua un minuscule point noir qui prenait peu à peu forme sur le fond blanc : un toit incliné posé sur des murs de bois sombre. Une petite cabane loin de toute civilisation.

Quand ils l'atteignirent, ils découvrirent des fenêtres et une porte entièrement couvertes de neige. Il racla la neige, mais le gel avait coincé la porte dans le châssis et elle ne s'ouvrit qu'au prix d'une lutte prolongée. Une fois à l'intérieur, elle retira son sac à dos, soulagée d'être libérée de son fardeau. L'obscurité régnait, mais les faisceaux de leurs lampes frontales illuminaient le décor, révélant des couchettes superposées pouvant accueillir quatre personnes, peut-être plus. Elle se laissa tomber sur un des minces matelas et reprit son souffle.

La cabane était meublée de façon très spartiate : une petite table, quelques chaises et les couchettes. L'idée était sans doute d'offrir un abri rudimentaire aux voyageurs – un moyen de survivre aux sauvages régions d'Islande –, plus que de miser sur le confort.

– Tu peux nous prendre de l'eau ?

Il lui tendit une bouteille vide.

– De l'eau ?

– Oui. Retourne à la rivière.

Même si l'idée de ressortir seule dans la nuit la décourageait, elle obéit, armée de sa seule lampe frontale. La cabane se dressait sur une butte et la descente vers la rivière était raide. Elle progressa à petits pas pour éviter les pièges du terrain glissant, d'autant qu'elle avait retiré ses crampons après avoir effectué la partie la plus difficile du trajet. Elle ne voulait surtout pas trébucher et glisser sur la pente pour se retrouver trempée dans la neige épaisse.

Elle parvint enfin sur la berge, plongea la bouteille dans l'eau glacée et attendit qu'elle se remplisse. Puis elle s'attarda un moment, but une première gorgée. L'eau était pure, limpide et d'une froideur amère, en provenance directe du glacier, merveilleusement rafraîchissante après cette longue marche.

De retour dans la cabane, elle retira sa veste, trempée de sueur après la remontée. Son compagnon s'occupait d'allumer des bougies ; la cabane n'était équipée ni d'électricité, ni d'eau chaude. Elle se joignit à lui et, bientôt, dix petites flammes vacillantes tentèrent de dissiper les ténèbres, à défaut de réchauffer l'atmosphère.

– Tu devrais remettre ta parka, sinon tu vas rapidement avoir froid. Il fait la même température que dehors.

Elle n'obéit pas tout de suite. Pour l'instant, elle n'avait pas envie d'enfiler de nouveau son encombrante veste.

Il sortit un réchaud qu'il appelait spritprimus, un mot islandais qu'il ne savait pas traduire. Il l'alluma et mit à chauffer une boîte de haricots blancs. Elle engloutit sa ration. Avec l'eau glacée de la rivière, c'était délicieux. Elle se sentit ragaillardie de l'intérieur, mais l'effet fut de courte durée dans cette cabane sans chauffage. Ils auraient aussi bien pu rester dehors, assis dans la neige.

Quand elle se décida à mettre sa doudoune, il était déjà trop tard : le froid avait bel et bien planté ses crocs en elle. Claquant des dents, elle faisait les cent pas dans le petit espace de la cabane, s'efforçant de faire revenir la circulation sanguine dans ses doigts et dans ses orteils.

– Je vais te faire bouillir de l'eau. Tu veux du thé ?

Elle fit signe que oui.

Chaque gorgée de thé propulsait un minuscule courant de chaleur à travers son corps gelé, mais juste après, le tremblement reprenait ses droits.

Il se leva pour attraper son sac à dos.

– J'ai… hésita-t-il, comme gêné. J'ai quelque chose pour toi.

Comment fallait-il réagir ? Il parlait d'une voix douce, il n'y avait aucune raison de s'inquiéter. Lui avait-il acheté un cadeau ? Et pourquoi ? Elle n'avait rien pour lui de son côté.

Il ouvrit son sac et se mit à fouiller frénétiquement à l'intérieur.

– Désolé… C'est quelque part là-dedans.

Elle attendait, anxieuse.

Enfin, il lui tendit une petite boîte, enveloppée dans ce qui ressemblait, dans la pénombre, à du papier doré.

– C'est pour toi, bafouilla-t-il. C'est juste un truc que j'ai trouvé, vraiment pas grand-chose.

« Mais pourquoi ? » aurait-elle voulu demander. Au lieu de quoi, elle chuchota un merci et prit le paquet, qu'elle déballa maladroitement de ses doigts gourds.

C'était une petite boîte noire, qui venait manifestement de chez un bijoutier.

– Je peux l'ouvrir ? demanda-t-elle, priant pour que la réponse soit non.

– Oui, oui, vas-y.

La boîte contenait une paire de boucles d'oreilles et une petite bague. Mais qu'est-ce qu'elle était censée comprendre ?

Elle se taisait, regardant simplement les cadeaux. Pourvu que ce ne soit pas une bague de fiançailles ou quelque chose dans le genre. Mais non, ce n'était pas possible…

Elle leva les yeux. Il l'observait.

– Désolé, je les ai vus en faisant des courses pour le voyage, au centre commercial. Je me suis dit que tu méritais une attention. Tu peux les rapporter au magasin, si tu veux, prendre autre chose, un bracelet, des chaussures, ce que tu veux…

– Merci.

Un silence embarrassant s'ensuivit.

– On part demain à la première heure, annonça-t-il. On ferait mieux de passer une bonne nuit.

7

– J'espère que vous avez récupéré des infos utiles, dit Oliver avec un sourire supérieur. Maintenant, si vous n'avez plus besoin de moi, j'ai du travail qui m'attend.

Ignorant cette perche tendue, Hulda demanda :

– Vous savez quelque chose à propos de la demandeuse d'asile russe qui a disparu du foyer l'an dernier ?

– Disparu ? Eh bien… Oui, maintenant que vous en parlez, je me rappelle qu'on a lancé un avis de recherche pour une demandeuse d'asile, mais je ne me rappelle pas sa nationalité…

– Vous pourriez regarder dans vos archives ?

Oliver leva les yeux au ciel.

– Oui, je pourrais. Laissez-moi votre numéro. Quand j'aurai une minute, je regarderai et je vous tiendrai au courant.

Il lui adressa le même sourire horripilant de condescendance.

– Non, vous allez regarder maintenant ! lui asséna Hulda d'un ton si autoritaire qu'il sursauta.

– Maintenant ? Euh… bon, bon, entendu…

Il s'installa devant son ordinateur, affichant un air de souffrance extrême.

Après quelques clics de souris et pianotages sur le clavier, il annonça :

– Oui, elle était russe.

– Katja, c'est ça ?

Il déchiffra l'écran.

– Oui, c'est bien ça.

– Qu'est-ce qui s'est passé ?

– Laissez-moi juste le temps de lire, répliqua-t-il, irrité.

Hulda soupira.

– Ouais, apparemment on l'a perdue.

– Vous l'avez perdue ? répéta Hulda, scandalisée par la formulation.

– Oui, elle n'est jamais revenue au foyer. Ça arrive, même si ce n'est pas fréquent. Parfois, c'est un malentendu, parfois, ils décident de tenter leur chance par eux-mêmes, oubliant que l'Islande est une île. Ils finissent toujours par revenir.

Après une pause, il rectifia :

– Presque toujours.

– Sauf elle ?

– Sauf elle. Pour le moment, en tout cas. Mais nous la retrouverons.

– Ça fait plus d'un an. Vous êtes toujours optimiste ?

– Bah, ce n'est pas moi qui dirige l'enquête, alors ce que j'en dis…

Hulda s'impatientait.

– Et qui est censé la diriger ?

Oliver secoua la tête.

– Personne ne s'en occupe directement, on dirait. Le dossier reste ouvert. Elle finira par réapparaître.

– Je vois.

– Elle a peut-être quitté le pays par bateau, suggéra-t-il, plein d'espoir. Qui sait ? Ça réglerait le problème, en quelque sorte.

Il grimaça un sourire.

– Des recherches ont été lancées ?

– D'après ce que je vois, rien de précis. On a posé quelques questions ici et là, mais ça n'a abouti à aucune piste réelle.

– Laissez-moi deviner : personne n'avait spécialement de temps à lui consacrer car il y avait d'autres affaires urgentes à régler ?

– On peut le dire comme ça.

Oliver n'avait même pas l'élégance de paraître gêné. En même temps, il commençait à la prendre au sérieux. Elle avait peut-être été un peu dure envers lui ; elle était rarement aussi grossière, mais les deux derniers jours avaient été éprouvants.

– Vous ne pourriez pas me déposer quelque part, par hasard ? demanda-t-elle, en se forçant à plus de politesse.

Elle était encore fatiguée et une pulsation sourde battait derrière ses yeux.

– Où ça ?

– Dans la crique où le corps d'Elena a été découvert. Comment elle s'appelle, déjà ? Flekkuvík ?

Oliver parut hésiter, mais elle accompagna sa demande d'un rictus menaçant, histoire de lui montrer qu'il n'avait pas le choix.

De mauvaise grâce, il lança :

– OK, en route.

8

Il grimpa dans la couchette au-dessus de la sienne. Cette proximité la mettait mal à l'aise, mais elle ne pouvait rien y faire.

Elle avait placé une bougie sur une petite chaise à côté de son lit pour avoir un peu de lumière. Il avait pris leurs lampes frontales et les avait posées sur la table après les avoir éteintes pour économiser les piles. Elle se débattit pour entrer dans son sac de couchage, tâche d'autant plus ardue avec un pull épais et des sous-vêtements en laine, et s'y enfonça le plus profondément possible en se tortillant. Puis elle souffla sur la flamme et les ténèbres se firent – seulement atténuées, après un moment, par le contour grisâtre des fenêtres.

Mon Dieu, elle avait si froid… horriblement froid. Les frissons parcouraient tout son corps. Elle referma le zip de son sac jusqu'en haut pour emprisonner la chaleur, finit par y enfoncer sa tête en laissant juste un trou pour son nez et sa bouche. Même ainsi, elle n'arrivait pas à se réchauffer.

En temps normal, elle s'endormait rapidement, mais pas ici, en terre inconnue. Elle resta étendue, attendant d'être prise par le sommeil, s'efforçant en vain de surmonter la sensation de suffoquer.

9

Dix minutes après avoir quitté Keflavík, ils prirent la direction de Vatnsleysuströnd.

– Encore cinq minutes à longer la côte, commenta Oliver avec un soupir. Après, vous aurez un peu de marche pour descendre jusqu'à la mer, si vous êtes d'humeur…

– Nous aurons un peu de marche, vous voulez dire, corrigea Hulda comme si cela allait de soi. Vous venez avec moi pour me montrer l'endroit exact.

Oliver acquiesça, résigné.

Il se gara à l'entrée d'un chemin qui paraissait mener au rivage, en contrebas. Il était bloqué par un tas de pierres.

– On ne peut pas aller plus loin en voiture, annonça- t-il.

La crique était plus loin que Hulda l'avait imaginé et le temps était maussade. Allait-elle vraiment s'infliger ce supplice ?

– Combien de temps pour y arriver ? demanda-t-elle.

Oliver la jaugea du regard, son expression trahissant sa pensée : à quelle vitesse cette vieille est-elle capable de se déplacer ?

– Un quart d'heure, à peu près, estima-t-il.

Après un coup d'œil à sa montre, il ajouta :

– Écoutez, je n'ai vraiment pas le temps, et de toute façon, il n'y a rien à voir là-bas.

Sa réaction fit pencher la balance. Il agaçait tellement Hulda – en partie à cause de sa gueule de bois, il faut bien l'admettre – qu'elle décida de le forcer à la suivre jusqu'à la mer.

– Eh bien, il faudra vous faire une raison ! lança-t-elle prestement en sortant de la voiture.

Elle se mit en route et, d'un coup d'œil par-dessus son épaule, s'assura qu'Oliver lui emboîtait le pas, bien qu'à contrecœur. Il bruinait toujours et le vent soufflait de plus en plus fort sur la côte, mais elle y puisait un surcroît de vigueur. Avec un peu de chance, cela lui mettrait les idées au clair et balaierait les dernières traces de migraine. Être près de la mer la mit de bonne humeur : à chaque pas, elle sentait ses tensions se défaire. Ils progressaient laborieusement le long de la piste caillouteuse, têtes baissées contre le vent, parmi la beauté désolée des champs de lave couverts de mousse. Hormis un oiseau passant de temps en temps au-dessus d'eux, Hulda et Oliver étaient les seuls êtres en mouvement dans le décor. Impossible de deviner la proximité de fermes tant ce paysage désolé donnait l'impression de pouvoir vivre loin de tout et de tous. Tout en marchant, Hulda se demandait ce qui avait bien pu amener Elena dans un coin aussi reculé. Était-ce de son propre chef ? Dans ce cas, était-elle morte accidentellement ? Avait-elle mis fin à ses jours ou avait-elle été amenée ici par quelqu'un qui l'avait assassinée ?

– Vous n'avez vu aucun véhicule par ici ? demanda Hulda en élevant la voix pour couvrir le bruit du vent.

– Quoi ? Non ! grommela Oliver.

Ses épaules rentrées et son expression boudeuse semblaient vouloir dire qu'il avait beaucoup mieux à faire que partir en randonnée sur la côte avec une grand-mère de la brigade criminelle de Reykjavík.

Ils devaient se trouver à une vingtaine de kilomètres du foyer de Njardvík. Pas précisément une balade à pied. De ce point de vue – comme de tant d'autres –, le rapport d'Alexander était bâclé. Il ne mentionnait même pas précisément l'endroit où on avait trouvé le corps. Quelqu'un avait dû déposer Elena en voiture, c'était une simple question de bon sens. Et le fait que l'accès à la mer ne soit pas carrossable était un autre élément significatif qu'Alexander avait négligé.

– Ce chemin est fermé à la circulation depuis longtemps ?

– Oui, ça remonte à très longtemps. Personne ne vit par ici. Il n'y a rien d'autre que quelques bâtiments à l'abandon.

– Donc, c'est très improbable qu'on ait traîné un corps jusqu'à la plage ?

– Vous êtes dingue ? répondit-il brutalement. Elle est forcément morte dans la crique. Si vous voulez mon avis, c'était soit un accident, soit un suicide. Vous perdez votre temps à enquêter sur un crime qui n'a jamais été commis. Alors qu'on a d'autres affaires plus urgentes qui nous attendent…

Le décor était sinistre et inhospitalier : çà et là, une plante un peu plus robuste que les autres, ou un arbre solitaire et squelettique.

Ils ne tardèrent pas à atteindre les bâtisses, bel et bien à l'abandon. L'une, une maison à deux étages, n'était guère plus qu'une coquille vide ; son toit à deux pans était intact, mais les blocs de béton gris de sa façade avaient été mis à nu par les éléments. Ses fenêtres et ses portes se réduisaient à des trous béants. L'autre maison, plus petite, n'avait qu'un étage avec un toit rouge et des murs dont la peinture blanche s'écaillait. Hulda s'imprégna de l'environnement, constatant l'absence de toute habitation humaine. Même la voiture de police garée près de la route était invisible. Plus que jamais, elle était convaincue qu'Elena avait été assassinée dans ce lieu abandonné, sans témoin. Qu'est-ce que tu foutais là, Elena ? se demanda-t-elle encore. Et avec qui étais-tu ?

Si l'endroit paraissait désolé et hostile en mai, qu'est-ce que cela devait être au beau milieu de l'hiver, quand Elena s'était retrouvée là ! Avait-elle alors la moindre idée de ce qui allait se produire ? Détail important à ne pas oublier, elle venait d'apprendre que sa demande d'asile en Islande avait été acceptée. Elle devait être folle de joie, et du coup, moins prudente qu'à l'accoutumée. Elle n'avait pas senti le danger que représentait son compagnon, jusqu'à ce que…

– C'est un pur hasard si son corps a été retrouvé aussi vite, commenta Oliver interrompant ses réflexions. Il n'y a pas grand monde qui vient dans le coin, surtout en hiver. Là, ce sont des promeneurs qui sont tombés sur elle. Ils ont prévenu la police, et c'est là que moi et mon collègue, on est arrivés…

Oliver avait à peine terminé son récit quand la crique apparut.

Sans être particulièrement grande, elle était d'une beauté quelque peu austère, et la mer paraissait sereine malgré les assauts répétés des rafales de vent. Hulda éprouva une sensation momentanée de bien-être, la vision et l'odeur de la mer la transportant une fraction de seconde dans la vieille maison d'Álftanes, au sein de sa famille, quelques jours avant le désastre. Puis la sensation se dissipa et ses pensées revinrent vers Elena qui, plus d'un an auparavant, avait dû se tenir au même endroit, face au même panorama, et peut-être ressentir la même paix.

– Ils l'ont trouvée allongée sur la plage, le visage dans le sable. Elle avait des plaies au crâne sans qu'il soit possible de déterminer avec certitude ce qui a pu les provoquer. Sans doute qu'en tombant, elle s'est cogné la tête et a perdu connaissance. Cause de la mort : noyade.

Hulda se mit à avancer avec prudence sur les pierres glissantes menant à la lisière de l'eau. Elle éprouvait le besoin de s'approcher le plus près possible d'Elena, même si son corps n'était plus là depuis longtemps.

– Bon sang, faites gaffe ! lui cria Oliver. Si vous vous cassez la jambe, je ne vous remonte pas jusqu'à la voiture !

Hulda s'immobilisa. Elle était sans doute allée assez loin comme ça. Elle pouvait s'imaginer Elena, gisant dans l'eau peu profonde. La mer était sans pitié : sans elle, pas de vie en Islande, mais le prix à payer était terrible. Elle regarda par-delà la baie de Faxafloi, vers la masse majestueuse du mont Esja couronné de neige, et son cœur saigna non seulement pour Elena, mais aussi pour elle-même. Sa vie d'avant lui manquait, et même si elle avait un nouvel ami, elle se sentait terriblement seule au monde. Ce sentiment n'avait jamais été aussi fort.

10

– Eh bien ! Quelle perte de temps, maugréa Oliver quand ils remontèrent dans la voiture de patrouille.

– Je n'en suis pas si sûre…

– Où est votre voiture, au fait ? Vous l'avez garée au commissariat ?

– Je… je ne suis pas venue en voiture, avoua-t-elle, penaude, tout en essayant de faire passer cela pour une façon de travailler parfaitement normale.

Elle crut voir un sourire narquois se dessiner sur le visage du jeune policier.

– Je vous raccompagne jusqu'à Reykjavík ? proposa-t-il sans grand enthousiasme. Ce n'est pas si loin, maintenant qu'on a fait tout ce chemin…

– Merci, mais j'ai besoin de passer au foyer à Njardvík. Ce serait parfait si vous pouviez me conduire là, plutôt.

– Ça marche, dit-il.

Bien que la pluie ait momentanément cessé, les nuages pesaient toujours bas sur Keflavík, et avec eux la menace d'une averse imminente.

– Merci beaucoup pour votre aide, lança Hulda en arrivant à destination.

Elle sortit rapidement de la voiture et regarda repartir Olivier.

La dernière habitation d'Elena.

Dans le court laps de temps qui s'était écoulé depuis que Hulda avait décidé d'enquêter sur la mort d'Elena, elle avait noué un lien très fort avec la jeune femme. Et, à présent qu'elle se trouvait devant le foyer, sous une ondée soudaine, ce lien se manifestait plus vivement que jamais. Elle ne renoncerait pas maintenant, pas quand son instinct lui soufflait que la vérité était toute proche. Mais elle avait peur que cette journée, sa dernière journée, ne soit pas suffisante.

C'était pourtant son jour de chance : Dora était assise à la réception, absorbée par la lecture d'un journal.

– Re bonjour !

Dora leva la tête.

– Oh, bonjour ! De retour ?

– Oui. J'avais juste besoin de vous parler. Du nouveau ?

– Du nouveau ? Non, il ne se passe jamais rien de nouveau ici.

Dora sourit et referma son journal.

– Des nouveaux arrivants, ça oui, mais toujours la même routine. À moins que vous ne vouliez savoir si j'ai du nouveau sur… eh bien… Elena ?

– Oui, c'est effectivement ça.

– Non, rien de nouveau non plus. Comment ça se passe de votre côté, avec votre enquête ?

– Ça avance lentement… Écoutez, on pourrait se parler quelque part une minute ?

– Bien sûr, asseyez-vous, il y a un tabouret près du téléphone.

Dora indiqua d'un geste de la main un guéridon sur lequel se trouvaient un téléphone démodé et un exemplaire relié de l'annuaire – un ensemble rare pour l'époque.

– À vrai dire, je pensais à un endroit un peu plus privé…

– Oh, aucun résident ici ne parle islandais. Et, si je peux éviter, je préfère ne pas laisser la réception inoccupée. Nous avons déjà tellement parlé de cette affaire, j'imagine que ce ne sera pas long ?

Hulda préféra abdiquer.

– Non, en effet.

Elle rapprocha le tabouret du téléphone et s'assit face à Dora, de l'autre côté du guichet.

– Parlez-moi de Katja.

– Katja ? Celle qui a fait une fugue ?

– Celle-là même.

– Eh bien, je m'en souviens… Une Russe, comme Elena. Elles s'entendaient bien, je crois. Et puis un jour, elle s'est juste envolée dans la nature.

– Sa disparition a donné lieu à une enquête ?

– Je crois bien… Un policier est venu me poser des questions, mais je n'ai rien pu lui dire. Je pensais qu'elle avait peut-être été retenue quelque part, mais elle ne s'est plus jamais montrée. Je ne sais pas s'ils l'ont retrouvée. En tout cas, elle n'est jamais revenue ici.

– Elle est toujours portée disparue.

– Ah, d'accord. Je me suis toujours bien entendue avec elle. J'espère qu'elle va bien, où qu'elle soit.

– Est-ce que quelqu'un a fait le rapprochement entre sa disparition et la mort d'Elena ?

– Ça, c'était un peu plus tard…

Elle réfléchit.

– Non, je ne crois pas. Et je n'en ai pas parlé la fois où votre ami est venu me voir pour m'interroger sur Elena.

– Alexander ?

– Ouais. Il ne paraissait pas exactement… comment dire… motivé. Intéressé par l'affaire. Vous, vous me semblez beaucoup plus énergique.

Elle sourit.
– Si quelqu'un me tuait, je préférerais nettement que l'enquête vous soit confiée.
Hulda ne sourit pas à cet humour noir.
– Hier, vous m'avez dit qu'Elena était montée dans un 4 × 4 conduit par un inconnu.
– Ouais, confirma Dora.
– Petit, gros et laid.
– Exact.
– Eh bien, hier soir j'ai interrogé un homme indirectement lié à l'affaire, qui a pu rencontrer Elena à un moment donné. Et il a accès à un véhicule tout-terrain.
Hulda se rappela la remarque de Dora sur le fait que tous les conducteurs de 4 × 4 se ressemblent. Peut-être disait-elle cela parce qu'elle avait vu la même voiture plus d'une fois ; peut-être Baldur était-il allé chercher Elena dans la voiture de son frère Albert. Elle en aurait bientôt le cœur net. Elle fouilla son sac à la recherche de son téléphone. Introuvable. Elle eut une sueur froide en pensant qu'elle l'avait peut-être oublié chez elle, d'autant qu'elle ne l'avait pas consulté de la journée.
– Désolée, bredouilla-t-elle, juste une seconde…
Hulda mit enfin la main dessus et poussa un soupir de soulagement.
– J'ai justement une photo de lui quelque part là-dedans. Voyons voir…
Rien. Plus de batterie sans doute ? Bordel…
– Vous n'auriez pas un chargeur pour ce modèle, par hasard ? demanda-t-elle à Dora.
Elle lui montra la prise.
– Vous permettez ?
Dora prit le téléphone, pressa un bouton et une petite musique retentit.
– Vous l'aviez éteint. Tenez.

À cet instant, Hulda se rappela vaguement l'avoir éteint la veille au soir.

– Pardon, dit-elle en rougissant.

Décidément, tout allait de travers aujourd'hui.

Alors qu'elle cherchait la photo dans son dossier Images, le téléphone émit un trille strident et le voyant de notification clignota, annonçant l'arrivée d'un SMS. Puis un autre trille, et encore, et encore.

– Qu'est-ce que c'est que ce truc ? s'exclama Hulda, plus pour elle-même qu'à l'intention de Dora.

Les messages s'affichaient en cascade sur l'écran.

RAPPELEZ-MOI

RAPPELEZ-MOI TT DE SUITE !

VENEZ TT DE SUITE AU POSTE !

HULDA, RAPPELEZ-MOI, URGENT !

Ils provenaient tous de Magnus. Et il y en avait également un d'Alexander : « Hulda, tu peux m'appeler ? Je veux te parler de l'enquête. C'est vraiment pas utile de rouvrir le dossier. ». Elle ne lui répondrait pas.

Mais elle ne pouvait ignorer les messages de son patron. Bon sang, qu'est-ce qui lui prenait ? En réalité, elle s'en fichait bien…

– Une minute, Dora, j'ai un coup de fil à passer, ça ne sera pas long.

Le cœur battant, Hulda sélectionna le numéro de Magnus, puis hésita. Avait-elle vraiment envie de lui parler ? Est-ce qu'il pouvait avoir de bonnes nouvelles pour elle ? Dans le cas contraire, de quoi s'agissait-il ? Pendant des mois, il lui avait à peine adressé la parole, la laissant s'occuper d'affaires pour lesquelles il ne manifestait pas le moindre intérêt. Et maintenant qu'il l'avait foutue à la porte – ça revenait à ça –, il voulait absolument lui parler... Se pouvait-il qu'elle ait piétiné les plates-bandes de quelqu'un ?

Elle se prépara mentalement et pressa l'icône d'appel. Magnus décrocha à la seconde sonnerie. Ce qui, en soi, était inhabituel.

– Putain, Hulda, vous étiez où, nom de Dieu ?

Elle avait souvent été témoin de ses crises de nerfs, mais c'était la première fois qu'elle l'entendait manifester une telle fureur.

Elle respira profondément.

– Je suis partie à Reykjanes pour voir l'endroit où le corps d'Elena a été retrouvé et pour suivre quelques pistes. Vous m'avez demandé de continuer mon enquête aujourd'hui.

– Je vous ai demandé ? Je vous ai permis, ça fait une sacrée différence ! Des pistes, vous dites ? Votre enquête, c'est du vent, Hulda ! Personne n'a tué cette Russe !

– En réalité, il y a deux femmes russes, intervint Hulda.

– Deux ? Comment ça ? De toute façon, on s'en fout. Vous allez vous ramener au commissariat tout de suite, compris ?

– Il y a un problème ?

– Un problème ? Et comment ! Bougez votre cul, il faut qu'on parle !

Et il raccrocha. Il s'était souvent très mal conduit avec elle, mais c'était la première fois qu'il se montrait aussi grossier. Il y avait quelque chose qui clochait définitivement.

Hulda retourna à la réception, choquée. Ne pas savoir ce qui se passait la rendait folle. C'était forcément en rapport avec Aki Akason. Avait-elle malencontreusement ruiné les efforts de ses collègues ? Si c'était le cas, pourquoi ne pas lui en avoir parlé au téléphone ?

Le visage en feu, elle finit par retrouver sa voix.

– Je vais devoir vous laisser, j'en ai peur…

– Oui, j'ai cru comprendre. Je ne sais pas qui vous parlait, mais il n'avait pas l'air très content !

– Non, en effet, répondit Hulda, se forçant à sourire.

– Mais qu'est-ce que vous vouliez me demander ?

– Quoi ? Ah, oui…

Elle reprit son téléphone et finit par trouver la photo de Baldur Albertsson.

– Elle est un peu floue, mais pensez-vous qu'il pourrait s'agir de l'homme au 4 × 4 ?

Dora jeta un coup d'œil rapide à l'écran puis confirma d'un signe de tête catégorique.

Hulda la regarda, stupéfaite.

– C'est bien lui, confirma Dora. Aucun doute.

11

Elle se réveilla en sursaut.

Impossible de respirer, elle étouffait. Elle mit un peu de temps à se rappeler où elle se trouvait : enfouie dans un sac de couchage, dans une cabane glacée, au milieu de la nuit.

Le froid intense avait bouché son nez, bloquant sa respiration. Prise au piège dans son sac, elle se démenait frénétiquement pour élargir l'ouverture. Il fallait qu'elle sorte la tête de là, qu'elle respire une grande goulée d'air.

Elle y parvint enfin.

Elle se rassit, tenta de se calmer, de ralentir les battements furieux de son cœur.

Sa doudoune, dont elle se servait comme d'un oreiller, était toute froissée. Elle la replia en la lissant pour la rendre aussi douce que possible puis s'allongea de nouveau, tirant son sac de couchage jusque sous son menton, en prenant garde cette fois-ci de laisser la tête sortie. Puis elle s'efforça de retrouver le sommeil.

12

Hulda prit un taxi pour rentrer à Reykjavík, aux frais de la criminelle. Elle aurait pu accepter la proposition d'Oliver, mais ça lui aurait pris plus de temps et elle était pressée.

À son immense soulagement, le conducteur ne montrait aucune propension au bavardage, ce qui lui laissa tout loisir de réfléchir. À mi-chemin de Reykjavík, elle s'aperçut qu'elle n'avait pas tenu la promesse faite à Amena : elle aurait dû dire à Oliver combien la Syrienne avait coopéré avec la police, mais préoccupée par ses propres problèmes, elle l'avait oubliée. Hulda s'était sentie si peinée pour elle toute la journée, mais désormais, c'était la culpabilité qui l'accablait. La pauvre Amena ne comptait pas beaucoup d'alliés dans ce pays : elle aurait au moins pu lui rendre ce service, l'aider un peu. Le sort d'Elena avait accaparé toute son énergie – alors qu'il était trop tard pour elle. Amena était en vie, et Hulda pouvait réparer l'injustice qui lui avait été faite ; elle se décida à appeler Oliver, mais plus tard, pas maintenant.

Le ciel s'éclaircissait ; avec un peu de chance, ils laisseraient la pluie derrière eux en quittant Reykjanes.

Toujours à cran après sa conversation avec Magnus, elle se sentait incapable de s'offrir une petite sieste pendant le trajet. L'adrénaline pulsait dans ses veines et les questions s'entrechoquaient dans son esprit. Elle ne savait pas ce qui se passait, mais elle s'attendait au pire. Elle téléphona à Pétur.

– Hulda, quel plaisir inattendu ! lança-t-il, toujours plein d'allant. Comment ça va ?

– Très occupée, à vrai dire…

C'était si bon d'entendre une voix amie et de savoir qu'elle avait trouvé en lui quelqu'un de confiance, à qui elle pouvait vraiment parler. Ça lui faisait chaud au cœur.

– Je suis impatient d'être à ce soir. Je nous ai déjà réservé une table.

– Oui, justement… vous pensez qu'on pourrait remettre ça à demain ? Je ne suis pas tout à fait sûre de la façon dont ma journée va se dérouler.

– Oh, je vois, dit-il, sans réussir à dissimuler la déception dans sa voix. Pas de problème.

– Je peux peut-être vous appeler quand je serai libre ? On mangera un bout…

– Oui, parfait. Mais on ne peut pas reporter notre dîner à demain. Plutôt après-demain, du coup.

– Quoi ?

– Notre dîner à l'hôtel Holt. On ne peut pas le reporter à demain, parce que demain soir, on part à l'assaut du mont Esja. Vous aviez oublié ?

– Oh oui, c'est vrai.

À cette pensée, une bouffée de plaisir l'envahit, autant à la perspective de la randonnée que de passer du temps avec Pétur.

– D'ici là, j'attends de vos nouvelles.

– Entendu. J'espère que ça ne sera pas trop tard, répondit Hulda, reconnaissante qu'il ne lui tienne pas rigueur de ces changements de dernière minute.

Ils raccrochèrent et Hulda se retrouva seule avec ses pensées. Une part d'elle aurait voulu donner au conducteur une autre adresse tant elle redoutait l'entrevue avec Magnus, et ignorer complètement ce qu'il voulait lui dire ne faisait qu'aggraver les choses. Si seulement elle pouvait rentrer chez elle, se détendre, reprendre ses esprits et ne plus jamais franchir les portes de la brigade criminelle ! Ne plus jamais être confrontée à son crétin de patron, ne plus jamais avoir à subir ses réprimandes… Mais cela revenait à abandonner Elena à son sort et, peut-être, à laisser son assassin en liberté.

Elle n'avait pas le choix, elle le savait bien ; elle avait toujours assumé ses positions, c'était dans son caractère. Elle resta silencieuse pendant que les kilomètres défilaient sur le compteur du taxi. Les champs de lave de Reykjanes furent bientôt remplacés par la banlieue de Reykjavík, un mélange de barres d'immeubles et de grands pavillons, avec leurs jardins à l'arrière où les familles se réunissaient autour d'un barbecue aux beaux jours. Le genre de vie qu'elle avait perdu.

Alors qu'elle entrait dans le commissariat, se préparant à l'ouragan qui s'annonçait, cela la frappa : quelque chose avait changé. L'ambiance était à couper au couteau. Elle se dirigea tout droit vers le bureau de Magnus, sans regarder à droite ou à gauche, évitant de croiser le regard de ses collègues. Pour une fois, il n'était pas là. Désemparée, Hulda jeta un regard gêné autour d'elle avant d'aller voir son adjoint, dans le petit bureau voisin. Encore un jeune homme dont l'ascension dans la hiérarchie avait été plus météorique que ce que Hulda aurait cru possible.

Elle n'eut pas besoin d'expliquer ce qui l'amenait : il se mit à parler dès qu'il la vit, et à en juger par son expression, il ne lui enviait pas son entretien avec Magnus.

– Maggi vous attend dans la salle de réunion.

Il lui indiqua laquelle en secouant la tête, comme pour lui signifier que la bataille était perdue d'avance.

Elle marcha vers son destin dans une atmosphère irréelle, comme une condamnée à mort avance vers la potence, mais toujours incapable d'entrevoir ce qui se passait.

Magnus était seul dans la salle. D'après l'expression de son visage, il était tristement évident qu'il était d'une humeur massacrante. Avant qu'elle ait le temps de le saluer, il lui demanda sèchement :

– Vous avez parlé à quelqu'un ?

– Parlé à quelqu'un ? répéta-t-elle, troublée.

– De ce qui s'est passé hier soir.

– Je n'ai aucune idée de ce qui s'est passé, malheureusement.

– Bien. Asseyez-vous.

Elle s'assit de l'autre côté de la table, face à Magnus. Des papiers s'amoncelaient devant lui mais la vue de Hulda avait baissé et elle n'arrivait pas à distinguer leur contenu.

– Emma Margeirsdóttir, dit-il lentement après une longue pause, sans lever les yeux.

En entendant ce nom, Hulda sentit son sang se glacer.

– Vous savez qui c'est, je crois ?

– Oh, mon Dieu ! Il lui est arrivé quelque chose ? demanda Hulda d'une voix vacillante.

– Vous l'avez rencontrée, pas vrai ?

– Oui, bien sûr. Mais vous le savez. Je vous l'ai déjà dit.

– En effet.

Il laissa le silence s'installer. Se prolonger. Manifestement, il tentait de prendre Hulda à son propre piège, mais elle n'allait pas tomber dans le panneau. Elle était bien décidée à le forcer à poursuivre.

Il céda le premier.

– Vous l'avez interrogée, il me semble ?

– Tout à fait.

– Et vous m'avez dit, si ma mémoire est bonne, que rien d'intéressant n'était sorti de votre conversation.

Elle acquiesça, mais la sueur commençait à poindre. Elle n'avait pas l'habitude de subir un interrogatoire, et cette discussion y ressemblait de plus en plus.

– « Je suis encore loin d'avoir terminé. » Ce sont vos exacts mots ?

De nouveau, elle confirma d'un mouvement de tête. Mais Magnus attendait une réponse, et cette fois, la pression était trop grande :

– C'est exact.

Après une pause encore plus longue, Magnus reprit la parole, d'un ton légèrement plus aimable :

– Voyez-vous, Hulda, je suis un peu surpris…

– Pourquoi ?

– Je vous considérais comme un de nos meilleurs éléments. En fait, j'ai la certitude que vous l'êtes. Vous l'avez régulièrement prouvé tout au long de ces années.

Hulda attendit, ne sachant trop comment réagir : c'était le premier compliment qu'elle ait jamais reçu de lui.

– Le problème, c'est qu'elle a avoué.

– Elle a avoué ?

Elle n'en croyait pas ses oreilles. Comment était-ce possible ? Après tout ce qui s'était passé… Alors qu'elle avait pris l'immense risque d'épargner cette femme…

– Oui. Nous l'avons arrêtée hier soir après ses aveux. Elle a renversé ce type, l'autre enfoiré de pédophile. Naturellement, elle a toute ma sympathie, mais il reste un fait incontestable : elle a cherché à l'écraser délibérément. Qu'est-ce que vous dites de ça ?

– C'est incroyable, répondit-elle en s'efforçant, sans grand succès, de paraître convaincante.

– Oui, c'est incroyable. Mais elle a un mobile très solide, comme nous le savons tous les deux.

– En effet.

Elle devait faire un effort pour respirer calmement.

– Elle peut s'attendre à de la prison. Et son fils... eh bien, qui sait ce qu'il va devenir ? C'est terrible, Hulda, vous ne trouvez pas ?

– Si, bien sûr. Je ne sais vraiment pas quoi dire...

– On ne peut pas s'empêcher d'éprouver de la sympathie pour elle.

– Eh bien, sans doute...

– Vous êtes réputée pour ça, Hulda : vous accordez toujours aux gens le bénéfice du doute. Vous évitez de porter un jugement sur eux. J'en suis bien conscient, même si, malheureusement, nous n'avons pas eu l'occasion de mieux nous connaître l'un l'autre.

Malheureusement... Quelle hypocrisie.

– Vous ne lui avez pas trop mis la pression ? reprit-il brusquement.

– Comment ça ?

– Pendant votre conversation.

– Mais si ! Et je l'ai même plutôt malmenée.

– Sans résultat ?

– Sans résultat.

– Le truc, Hulda, c'est qu'il y a quelque chose qui m'échappe...

Ses sourcils se rapprochèrent. Elle reconnut le ton condescendant qu'il employait si souvent avec elle.

– Voyez-vous, Emma prétend que pendant cette conversation, elle vous a fait des aveux complets.

Magnus aurait aussi bien pu lancer une grenade dans la pièce. Hulda sentit ses jambes se dérober. Allait-elle trouver un moyen de s'en sortir ? Qu'est-ce qu'Emma avait dit, au juste ? Pourquoi l'avait-elle trahie ainsi ? C'était incompréhensible.

À moins que Magnus ne bluffe ?

Qu'il tente une manœuvre pour découvrir la vérité ?

Qu'il lui tende un piège pour qu'elle avoue sa faute ?

N'arrivant pas à voir clair dans son jeu, elle ne savait pas quelle carte abattre. Valait-il mieux jouer franc jeu ou continuer à mentir et à nier ? Elle prit son temps avant de répondre.

– Eh bien, pour parler franchement, elle n'était pas claire du tout. Bien sûr, elle était encore bouleversée par les photos de son fils qu'on avait découvertes. Il est très possible qu'elle ait cru faire des aveux, mais ce n'est pas ce que j'ai ressenti lors de notre échange.

Elle tapota son front en sueur.

– Je vois.

Le visage de Magnus demeurait impassible. Il était vraiment bon à ce petit jeu. Elle l'avait sous-estimé.

– Donc, il y a eu un malentendu entre vous. Ceci expliquerait cela ?

Hulda avait l'impression que chacune de ses réponses l'enfonçait un peu plus profondément. Elle se sentait oppressée, comme prise au piège du bureau de Magnus.

– Ça doit être ça, oui. Vous êtes absolument certain que c'est elle qui l'a fait ? Qui l'a renversé en voiture, je veux dire ? Si on ne tient pas compte de ses aveux ?

– Qu'est-ce que vous sous-entendez ? demanda-t-il en détachant chaque syllabe, plus curieux que surpris.

– Peut-être qu'elle voulait juste attirer l'attention ? Surtout si elle vous a dit qu'elle avait déjà tout avoué...

Hulda continuait d'y aller au culot même si elle n'avait plus envie que d'une chose : capituler et tout avouer.

– Elle est bel et bien responsable du délit de fuite, je crois qu'il n'y a aucun doute là-dessus. Mais ce n'est pas le principal.

– Ah ?

– Elle avait autre chose à me dire.

Hulda sentit son cœur s'emballer et crut qu'elle allait s'évanouir. Magnus fit durer le moment, comme s'il jouissait de la voir en si délicate posture.

– Selon Emma, vous l'avez recontactée plus tard le même soir, après l'interrogatoire. Est-ce bien le cas ?

– Je ne m'en souviens pas. Oui, peut-être, pour vérifier certains détails de mon rapport…

– Elle prétend que vous lui avez téléphoné pour lui dire de ne pas s'en faire concernant ses aveux. Pour lui dire que vous n'aviez pas l'intention de l'arrêter.

Puis il ajouta, élevant la voix, le visage crispé par une colère terrible :

– Est-ce que c'est possible, Hulda ? Y aurait-il la plus infime possibilité qu'elle dise vrai ?

Qu'était-elle censée répondre ? Allait-elle ruiner sa carrière le jour de sa retraite à cause d'un acte de bonté qui se transformait en retour de bâton ? Ou allait-elle continuer à nier – après tout, c'était la parole d'Emma contre la sienne ?

Pour gagner du temps, elle choisit de ne rien dire.

– Vous savez ce que je crois, Hulda ? Je crois que son sort vous a émue. Personne n'a jamais versé de larmes sur un pédophile – ni moi ni vous –, mais ça ne veut pas dire que l'on peut se substituer à la justice. Si vous voulez mon avis, je pense que votre empathie pour cette femme vous a amenée à franchir la ligne rouge. Ce que je peux comprendre, d'une certaine façon…

Il se tut un instant. Hulda restait obstinément silencieuse.

– Elle risquait la prison, la mère et son fils auraient été séparés… Je comprends. Après tout, vous avez perdu votre fille.

– Laissez ma fille en dehors de ça ! hurla Hulda. Qu'est-ce que vous savez d'elle ? Vous ne savez rien de moi et de ma famille, vous n'avez jamais rien su !

Hulda fut la première étonnée de cette explosion, qui réussit au moins à déstabiliser Magnus. Il avait intérêt à ne plus mêler Dimma à tout ça. S'il s'y risquait, elle ne répondait pas de ses actes.

– Je suis désolé. J'essayais juste de me mettre à votre place.

Une chose était de plus en plus claire : Emma l'avait balancée malgré ses bonnes intentions. Cette trahison était incompréhensible, et ne faire que l'envisager la blessait déjà. Certes, Emma était particulièrement perturbée, mais ça n'excusait pas son comportement. Elle avait dû craquer face aux questions de Magnus.

Alors seulement elle se rappela pourquoi elle avait éteint son téléphone la veille. Bon sang, mais qu'est-ce qui lui avait pris de boire autant ? Sa gueule de bois ne l'aidait pas à résister à la pression. Le jour où elle devait être en pleine possession de ses moyens, elle n'avait pas cessé d'être sur la défensive. Peut-être son âge la rattrapait-il ? Elle rejeta cette idée avec colère. Elle était aussi bonne flic qu'elle l'avait toujours été.

Emma l'avait appelée tard dans la soirée. L'heure aurait dû l'alerter ; elle avait forcément une raison urgente de la contacter. Mais Hulda n'était pas d'humeur à lui parler. Seigneur, comme elle le regrettait. Peut-être Emma voulait-elle lui demander son avis avant de se dénoncer. Oh, mon Dieu…

– Cette affaire est extrêmement grave, Hulda, reprit Magnus.

Elle n'arrivait à déterminer ni la réaction à adopter ni les possibles conséquences de ses actes. Il n'avait quand même pas l'intention de la virer lors de son dernier jour ?

– Vous dites qu'elle a avoué ? demanda Hulda, consciente que cette question était une façon de reconnaître son erreur sans admettre explicitement sa culpabilité. Est-ce vraiment important, ce dont on a parlé ou la façon dont elle a interprété mes propos ?

Elle étouffa un désir honteux de larmoyer : Par pitié, soyez compréhensif. Après toutes ces années, après ma longue et brillante carrière, on ne pourrait pas oublier ce petit faux pas ?

– Vous mettez le doigt sur le problème, Hulda. Dans des circonstances normales, je ne pense pas que j'aurais fait toute une histoire, dans la mesure où vous partez et où vous traversez une passe difficile. Une simple erreur de jugement, il n'y a pas mort d'homme…

Dans des circonstances normales ? Qu'est-ce que ça voulait dire ?

– Mais justement… il y a pire. Hier soir, Emma s'est rendue au National Hospital. Je crois qu'avant d'obtenir son emploi actuel dans une maison de retraite, elle a travaillé pour les services de santé.

– Le National Hospital ?

– Oui. Apparemment, ce n'était pas trop difficile : il n'y a pas beaucoup de surveillance, elle connaissait les lieux et chaque fois qu'elle est tombée sur une porte fermée à clé, elle a réussi à se faire ouvrir en montrant son badge.

Hulda devinait la suite. Elle réprima un haut-le-cœur.

– Elle n'a pas mis longtemps à trouver la chambre du pédophile. Il était maintenu dans le coma, mais a priori, son état s'améliorait.

Magnus se tut, soutenant l'expression horrifiée de Hulda, puis :

– Elle a pris un oreiller et l'a maintenu sur le visage du malade.

Trop terrifiée pour demander ce qui s'était passé ensuite, elle attendait, à l'agonie, partagée entre l'espoir et la peur.

– Il est mort.

– Elle l'a tué ? demanda-t-elle, incrédule, même si elle le savait déjà.

– Elle l'a tué, Hulda. Et juste après, elle s'est dénoncée. Elle nous a raconté toute cette malheureuse histoire : comment elle l'a renversé à cause de ce qu'il avait fait à son fils, espérant le tuer non pour se venger, mais pour l'empêcher de commettre les mêmes crimes sur d'autres enfants. Comment vous l'avez interrogée sur son lieu de travail et tout de suite compris, malgré ses dénégations. Elle dit que vous l'avez percée à jour, qu'elle a fini par avouer, et que c'était un soulagement pour elle. Elle dit aussi…

Il baissa les yeux sur les papiers posés devant lui et lut la déclaration d'Emma :

– … qu'elle était soulagée de ne plus avoir ce poids sur la conscience. Elle ne voyait pas comment elle aurait pu vivre avec ce fardeau. Suite à votre visite, elle s'attendait à être arrêtée d'une minute à l'autre, mais plus tard dans la soirée, vous lui avez téléphoné pour lui annoncer que vous la laissiez libre. Elle était abasourdie. Reconnaissante, bien sûr, mais aussi déçue. Sa culpabilité lui pesait tant qu'elle a décidé qu'elle n'avait pas d'autre choix que de passer aux aveux. Alors elle vous a appelée.

Hulda sursauta. Le coup de fil nocturne.

– Mais vous n'avez pas décroché.

Elle secoua la tête, dévastée.

– Non. J'étais occupée, chuchota-t-elle.

Pourquoi n'avait-elle pas décroché, nom de Dieu ?

Magnus continua de retourner le couteau dans la plaie :

– Elle était dans un sale état, hier soir. Complètement paumée. Elle pensait qu'elle n'avait plus d'avenir, que sa vie serait un long tunnel sombre. Alors elle s'est dit : autant finir le travail. Accomplir quelque chose qui vaille la peine. Vous savez, Hulda, hier soir, vous auriez pu l'empêcher de commettre l'irréparable.

Elle acquiesça, la gorge trop nouée pour produire un son.

– Et je ne parle même pas de la faute grossière que vous avez commise en essayant de la couvrir. C'est plus qu'une faute. Comme vous le savez parfaitement, vous avez enfreint la loi, fait obstruction au bon déroulement de la justice.

Mais mes intentions étaient bonnes, pensa-t-elle. La loi n'est pas l'unique arbitre du Bien et du Mal. Parfois, il faut considérer les choses dans leur globalité. Elle était parfaitement consciente du danger que représente ce raisonnement quand on occupe une position comme la sienne. Après tout, elle avait prêté le serment de faire respecter la loi. Mais ça n'était pas la première fois qu'elle le trahissait au prétexte que les circonstances le justifiaient. La seule différence, c'est que, cette fois, elle avait été confondue. Un homme était mort et elle en était en partie responsable. Elle se sentit soudain prise d'une violente nausée, même si elle ne parvenait pas à éprouver de chagrin pour le pédophile assassiné. Dire qu'il méritait de mourir serait sans doute excessif, mais elle était persuadée que, sans lui, le monde était un endroit plus agréable, plus sûr.

– On ne peut pas…

Elle s'interrompit, incapable d'achever sa phrase. Pour la seconde fois de sa vie, tout son univers s'effondrait.

D'abord à la mort de Dimma, puis avec cette affaire. Sa réputation, ses états de service exemplaires, tout cela partirait en fumée. Pire encore : elle risquait d'être poursuivie. Après sa longue carrière dans la police, supporterait-elle de se retrouver sur le banc des accusés ? D'aller en prison ? Et Pétur, qu'est-ce qu'il dirait ? Elle avait l'horrible intuition que cet avenir auquel elle commençait à penser avec impatience risquait de lui filer entre les doigts.

Magnus ne bougeait pas, ne parlait pas. Il dévisageait Hulda. Le silence devint si oppressant qu'elle aurait voulu hurler ; elle se sentait trop épuisée pour réagir autrement.

– Vous n'imaginez pas à quel point tout cela est difficile pour moi, Hulda. Combien je suis déçu. Je vous ai toujours respectée.

Bien que sceptique sur ce point, elle ne le contredit pas.

– Vous êtes un modèle pour beaucoup de vos collègues de la criminelle. Et vous avez ouvert la voie pour tant d'autres, comme Karen. Vous me mettez dans une situation impossible.

Hulda ne savait pas comment prendre la chose. Magnus était-il sincère ? Elle l'espérait, mais, dans ce cas-là, elle se serait trompée toutes ces années, sous-estimant le respect qu'elle inspirait en réalité à ses collègues ?

Elle inclina la tête, défaite. Toute sa combativité l'avait désertée.

– Ne vous méprenez pas : je suis furieux. Mais je ne vais pas davantage perdre mon temps à vous crier dessus. Toute cette histoire est bien trop grave pour ça. Surtout et avant tout, je suis dévasté.

Il paraissait sincère, à la stupéfaction de Hulda.

– J'ai souvent pris votre défense quand on évoquait la possibilité de vous remplacer ou de vous transférer dans une autre brigade. Vous êtes lente mais tenace, vos méthodes sont vieux jeu et tout le monde ne les apprécie pas. Mais vous obtenez des résultats.

Elle avait du mal à le croire ; elle ne s'était jamais sentie épaulée par Magnus, pas une fois. Mais elle avait assurément obtenu des résultats toutes ces années, ça oui, en résolvant des enquêtes particulièrement difficiles. Elle se souvenait de deux en particulier : une mort survenue sur une petite île au large de la côte sud de l'Islande, alors que quatre amis avaient décidé d'y passer un week-end tranquille ; et l'histoire terrible de cette ferme, isolée de l'est du pays, durant le Noël 1987 – le Noël où Dimma était décédée. Les deux affaires l'avaient bouleversée – et revenaient souvent la hanter.

– Merci, marmonna-t-elle, dans un filet de voix.

– Pour vous comme pour moi, nous allons rester discrets. Je n'ai évoqué aucun détail de cette affaire avec vos collègues. Ce serait une honte pour vous de terminer votre carrière sur un scandale, même si cela finira par être rendu public si vous êtes poursuivie en justice. Nous aviserons le moment venu. En attendant, je transmets le dossier au procureur lundi. Après cela, ce ne sera plus de mon ressort. Je ne peux pas escamoter cette affaire, vous devez bien le comprendre. Mais nous essaierons de limiter les dégâts.

Elle acquiesça avec gratitude et humilité. Elle n'envisagea pas de nier, d'ajouter de nouveaux mensonges. La partie était finie.

– Bien sûr, vous quittez votre poste immédiatement. Je ne vous accorde plus aucune latitude. Vous avez vidé votre bureau ?

Elle secoua la tête, sonnée.

– Dans ce cas, je demanderai à quelqu'un de le faire pour vous et d'envoyer vos affaires à votre adresse, OK ?

– OK.

– À propos, qu'est-ce qui est arrivé à la demandeuse d'asile russe ?

Hulda luttait pour ne pas s'effondrer. Sa carrière ne pouvait pas se terminer ainsi – en larmes, à soixante-quatre ans, pour sa dernière journée de travail. Elle s'éclaircit la gorge et répondit d'une voix rauque :

– J'y travaille encore. J'ai découvert qu'elles étaient deux, en fait.

– Oui, c'est ce que vous m'avez dit au téléphone. Autrement dit ?

– Une certaine Katja a été portée disparue il y a plus d'un an. Puis Elena est morte. C'étaient deux très bonnes amies. Je doute qu'Alexander ait fait le lien entre ces deux affaires.

– Et elles sont liées ?

– Je ne sais pas, mais ça mérite d'être vérifié.

– Vous avez raison.

Il réfléchit un moment.

– Vous pouvez écrire un rapport quand vous aurez le temps et me l'envoyer par e-mail ? Je le lirai moi-même à la première occasion.

Elle n'y croyait pas un instant, mais elle appréciait le geste.

– Oui, bien sûr. Je ferai ça.

Il se leva, lui tendit la main. Elle la serra sans un mot.

– Ça a été un privilège de travailler avec vous, Hulda. Vous étiez un flic exceptionnel.

Une pause.

– C'est vraiment dommage que ça doive se terminer comme ça.

13

Elle se réveilla de nouveau en sursaut, et sentit que c'était encore le milieu de la nuit.

D'abord, elle crut que c'était le froid qui l'avait tirée de son sommeil, et de fait elle était gelée ; pas seulement sa tête, mais tout son corps. Elle s'aperçut alors que la fermeture Éclair de son sac de couchage était entièrement ouverte.

Son compagnon était descendu de sa couchette pour se faufiler dans la sienne et il était à présent allongé contre elle, une main s'agitant dans sa culotte.

Terrorisée, elle essaya de le repousser, mais elle avait si froid que ses membres ne lui obéissaient plus. Il l'attira contre lui, l'embrassa tandis qu'elle se débattait avec le peu de forces qui lui restaient.

– Arrête tes conneries, railla-t-il. Toi et moi, on savait très bien ce qui allait se passer, ce que je voulais en t'invitant ce week-end. J'ai vu comme tu me regardais, alors ne commence à faire ta pudique, espèce de salope !

Elle entendait ces mots sans y croire. Assommée.

Puis elle se mit à hurler à pleins poumons, les cris les plus stridents qu'elle ait jamais poussés.

Il ne prit même pas la peine de plaquer une main sur sa bouche.

14

Hulda se retrouva devant le commissariat de Hverfisgata, immobile, comme pétrifiée. Quelques collègues la saluèrent en passant mais elle était incapable de leur répondre. Elle restait plantée là, fixant l'espace d'un regard vide.

Tout se passait comme si sa vie venait de s'interrompre. Elle était incapable de se projeter, de voir de quoi demain serait fait. Dans l'immédiat, elle avait par-dessus tout besoin de parler à Pétur, mais elle ne se résolvait pas à l'appeler. Pas tout de suite.

Elle se décida enfin à bouger. D'un pas lent, elle tourna au coin de l'immeuble et se mit à marcher en direction de la mer. Bien que le soleil se soit dégagé de l'emprise des nuages, une brise cinglante la fouetta quand elle parvint à la route côtière. Elle traversa la chaussée sans se préoccuper des voitures et alla s'asseoir sur un banc. Par-delà la baie s'étendait le panorama sur les montagnes. Elle ne s'en lassait jamais. Tous ces sommets qu'elle avait conquis, en son temps : Esja, Skardsheidi, Akrafjall. Leur beauté époustouflante avait sur elle un effet rassérénant, apaisant, et la ramenait à quelques-uns des moments les plus heureux de sa vie. Mais elle convoquait aussi la vision d'Elena, balayée par les flots dans la crique. Ainsi la mer donne, ainsi la mer reprend.

De nouveau, un sentiment de solitude écrasant s'abattit sur elle.

Elle avait tant de choses sur la conscience.

Et si Elena était la clé de tout ? Une façon pour elle de trouver l'absolution, de laver son honneur ? Résoudre cette affaire permettrait-il de sauver quelque chose dans le naufrage de son existence ? Ou, au moins, de la réconcilier avec elle-même ?

À défaut de lui apporter une réponse, les eaux agitées de la baie de Faxafloi lui laissaient entrevoir une mince lueur d'espoir. Elle avait promis à Magnus d'abandonner l'enquête, mais si elle s'y consacrait encore un peu, juste pour le reste de la journée, quelle chance y avait-il qu'il le découvre ? Elle allait tirer profit de ses dernières heures avant la retraite. Il lui restait deux pistes à suivre, ça ne gênerait personne qu'elle les reprenne. Elle serait amenée à mentir, à prétendre qu'elle était toujours dans la police, mais il était peu probable qu'on lui pose la question.

Oui, elle allait faire ça. Juste pour aujourd'hui. C'était sa dernière chance. Et cela l'aiderait à passer le temps jusqu'à ce qu'elle ait rassemblé le courage nécessaire pour retrouver Pétur dans la soirée.

15

Il éclata de rire.

– Personne ne t'entend, dit-il en essayant de retirer son caleçon long.

Alors, malgré le froid qui l'engourdissait, elle trouva un surcroît de force et parvint à la repousser si violemment qu'il tomba par terre.

Elle sauta de sa couchette à l'aveugle, consciente que sa seule chance était de sortir de la cabane, de s'enfuir dans la neige et de trouver quelque part dans ce vaste paysage désert un endroit où se cacher. C'était illusoire, mais il fallait qu'elle essaye. À cet instant, son regard fut attiré par le faible éclat du piolet posé près de la porte.

Par miracle, elle réussit à l'attraper la première.

16

Hulda frappa à la porte d'Albert. Elle espérait parler à son frère Baldur pour découvrir s'il avait emmené Elena en balade quelque part à bord d'un 4 × 4. Elle fut surprise de voir l'avocat en personne lui ouvrir, alors qu'il n'était même pas seize heures.

– Hulda ?

Lui aussi paraissait surpris.

– Albert ? Je passais juste, à tout hasard…

– Bien, bien… Je suis rentré plus tôt, je n'avais pas beaucoup de travail.

Il avait l'air gêné et un peu nerveux, comme si ses affaires n'allaient pas fort.

– Vous avez eu mes documents ? Baldur m'a dit que vous étiez passée les prendre hier soir.

– Oui… Mais ils sont tous écrits en russe, donc je n'ai pas encore pu les exploiter.

– Oui, c'est ce que je me suis dit, mais on ne sait jamais, ils contiennent peut-être des infos utiles… Espérons que vous réussirez à obtenir justice pour cette malheureuse. Après tout, c'était ma cliente.

– À vrai dire, j'espérais pouvoir discuter avec votre frère.

– Avec mon frère ?

C'était la dernière chose à laquelle il s'attendait.

– Oui… euh… il a mentionné quelque chose hier… que j'ai besoin de clarifier.

Elle mentait maladroitement et se maudit de ne pas avoir trouvé de meilleur prétexte, mais après tout, elle ne s'attendait pas à tomber sur Albert.

– Qu'est-ce qu'il a bien pu vous raconter ? Ça a un rapport avec Elena ?

– Non… enfin si, indirectement. C'est un peu difficile à expliquer.

– Un rapport avec moi, alors ?

Sa voix était soudain plus cassante.

– Quoi ? Non, bien sûr que non. Il est là ?

– Non. Il a trouvé un job de peintre en bâtiment pour la journée, il risque de ne pas rentrer avant longtemps.

– Vous pouvez lui demander de me rappeler à son retour ?

Albert sembla peser le pour et le contre avant de répondre :

– Oui, oui, naturellement. Je n'y manquerai pas. Je vous appellerai au commissariat.

– Non, appelez-moi sur mon portable. Vous avez mon numéro.

Albert répondit brièvement à son sourire et ferma tout aussi rapidement la porte.

17

Puisqu'elle n'avait plus accès aux services d'un interprète de la police, son seul recours était de demander l'aide de Bjartur. Hulda retourna dans sa voiture et roula vers son domicile, à l'ouest de la ville. Ce serait sa dernière étape, à moins qu'une information exploitable ne surgisse dans les papiers de l'avocat. Une partie d'elle se rattachait à cet espoir, mais elle prenait aussi conscience que la fin de cette enquête lui apporterait soulagement et repos.

Son téléphone sonna. Elle se gara pour répondre.

– Hulda, dit Magnus d'une voix grave.

– Oui ?

Elle se raidit, prête au pire.

– Je ne voudrais pas vous accabler plus mais je dois vous prévenir : Aki a été arrêté ce matin.

– Vraiment ? Proxénétisme ?

Elle se sentit un peu ragaillardie.

– Entre autres choses, oui. Le problème, c'est qu'ils ont dû accélérer l'opération, qui s'est terminée de façon un peu précipitée. Tout ça parce que vous êtes allée l'interroger sans permission.

Elle jura à mi-voix.

– Entre-temps, il a très bien pu détruire des preuves, et ça, c'est emmerdant… Préparez-vous à recevoir un coup de fil au sujet de votre rencontre avec lui. Ils voudront savoir quelles infos il a pu vous donner, et comment vous êtes remontée jusqu'à lui.

Elle soupira.

– Oui, OK… Mais je n'aurai rien de nouveau à leur dire.

– Dans ce cas, ce sera juste quelques ennuis de plus. Toute cette histoire est un fiasco, mais que cela ne vous mine pas trop…

Pas plus que tout le reste, pensa-t-elle en raccrochant.

Hulda se sentait terriblement coupable d'avoir potentiellement ruiné les efforts de ses collègues et la bonne conduite de l'enquête. Elle détestait commettre des erreurs. Quand elle était petite et qu'elle faisait ses devoirs, sa grand-mère passait son temps penchée par-dessus son épaule, à vérifier chaque réponse, chaque exercice – que ce soit en grammaire, en maths, en géographie, en histoire… Ses critiques étaient sévères, souvent injustes. Elle lui répétait qu'elle était trop lente, qu'elle devait faire beaucoup mieux, pour surpasser les garçons et avoir une chance de réussir dans la vie. Et, régulièrement, ces remarques lui faisaient monter les larmes aux yeux. Ce n'est qu'adulte qu'elle apprit que les critiques pouvaient aussi être constructives – un concept totalement étranger à sa grand-mère.

Et là, de nouveau, cette honte d'avoir mal fait…

Elle pouvait faire mieux. Beaucoup mieux.

18

Cette fois, Hulda ne perdit pas son temps à marcher jusqu'à la porte d'entrée : elle fit directement le tour de la maison pour se rendre au garage de Bjartur. Tandis qu'elle frappait à la porte, elle remarqua un écriteau à la fenêtre : « Bjartur Hartmannsson, interprète et traducteur ».

Il ouvrit rapidement et parut surpris.

– Bonjour.

– Bonjour Bjartur, c'est encore moi, dit-elle d'un air désolé, consciente de se battre contre des moulins à vent et d'enquêter sur une affaire qui était presque à coup sûr une cause perdue.

– Eh bien, eh bien…

Il sourit en grattant sa tignasse blonde.

– … on dirait que je me fais des amis dans la police.

Quel âge pouvait-il avoir ? Elle n'avait pas pris la peine de se renseigner, mais malgré ses airs juvéniles, il devait s'approcher de la quarantaine. La femme – sans doute sa mère – que Hulda avait vue lors de sa première visite avait au moins soixante-dix ans.

– Vous êtes en plein travail ? demanda-t-elle, amicale.

– Non, enfin… pas vraiment en traduction, mais j'ai beaucoup de touristes russes. Je vous assure, le dollar touristique est la seule chose qui maintient à flot l'économie islandaise en ce moment. Aujourd'hui, c'est plutôt calme. Du coup, je… j'écris, vous savez. Je bosse à mon livre.

Le développement du tourisme depuis la faillite du système bancaire – et l'effondrement de la couronne islandaise qui avait suivi – avait bien sûr aidé à remettre le pays sur les rails. Les touristes avaient injecté des devises étrangères bienvenues. L'horizon s'était débouché mais l'ombre de la crise financière continuait de planer. Distraite, Hulda songeait que le tourisme n'aurait que peu d'influence sur la santé de ses propres finances. Son boulot ne lui rapportait pas énormément, et tout ce qui l'attendait désormais, c'était le revenu fixe versé à titre de pension par le gouvernement.

– Entrez, dit Bjartur, rompant le fil de ses pensées. C'est un peu le bazar, désolé. Je n'ai pas encore acheté de chaises pour les visiteurs, vous devrez vous contenter du lit.

Il rougit.

– Je veux dire, vous comprenez… vous asseoir sur le lit.

Hulda avisa un espace accessible dans le fatras et s'installa. Bjartur prit place sur sa chaise de bureau désuète. La pièce sentait le renfermé. L'arrivée inattendue de Hulda ne lui avait pas laissé l'occasion d'aérer.

– C'est ici que vous vivez, dans le garage ? demanda-t-elle par curiosité.

– Oui, tout à fait. Je dors et je travaille là. Je me sens plus chez moi, vous comprenez. Maman et papa sont dans la maison, et je ne pouvais plus rester. On vivait les uns sur les autres, ce n'était plus possible. Je me serais bien installé au sous-sol, mais malheureusement, il n'y en a pas. Ils m'ont laissé aménager le garage.

Hulda lui aurait bien demandé pourquoi il ne s'était pas cherché un appartement, mais elle ne voulait pas sembler grossière. Bjartur sembla deviner sa question :

– Ça ne sert à rien de me prendre un appartement, pas tout de suite. C'est beaucoup trop cher, que ce soit à l'achat ou à la location. Le prix de l'immobilier a explosé et je n'ai pas de revenus réguliers. Tout ce que je fais, la traduction, les visites touristiques, c'est essentiellement par bouche-à-oreille. Parfois je suis débordé, surtout l'été, mais le reste du temps, j'ai du mal à joindre les deux bouts. J'essaie de mettre un peu d'argent de côté, quand même. Ça finira par bien se goupiller. Et un jour, maman et papa vont sûrement réduire leur train de vie.

Hulda lut sur son visage : ou ils mourront.

– Je suis venue vous demander une petite faveur…

– Oui ? Quoi donc ?

Elle lui tendit l'enveloppe qu'Albert lui avait fait passer.

– Elle contient des documents réunis par l'avocat d'Elena. Je ne sais pas s'ils présentent un intérêt particulier, mais comme on dit, il ne faut négliger aucune piste !

Elle sourit pour détendre l'atmosphère.

– Je comprends. Comment se déroule l'enquête, d'ailleurs ? Je vois que vous êtes toujours sur l'affaire…

– Oui, évidemment. Je n'ai pas l'intention de baisser les bras.

En réalité, elle aurait volontiers tout laissé tomber. Aujourd'hui en particulier, alors qu'elle était encore sous le choc de la nouvelle que Magnus lui avait annoncée, poursuivre cette enquête était la dernière chose qu'elle avait envie de faire – même si c'était la seule chose qui lui restait. Un homme était mort à cause d'elle, elle ne pouvait pas y échapper. Mais ce n'était pas n'importe qui : un pédophile, et cela rendait les choses plus faciles pour sa conscience : certains crimes étaient impardonnables. Il y avait aussi de bonnes chances pour qu'elle ait saboté le travail de ses collègues chargés de surveiller les agissements d'Aki. Sa carrière d'inspectrice n'était plus qu'un tas de ruines fumantes. Rien d'étonnant, dès lors, à ce qu'elle ne soit plus en état de travailler. Et malgré tout, elle s'obstinait, trop bornée pour renoncer dans cette course contre la montre.

– Pas de problème, je vais regarder ça.

Bjartur fit pivoter sa chaise et se retrouva face à son bureau. Il tira les papiers de l'enveloppe et les éparpilla devant lui.

– Merci.

Une inspiration subite la poussa à ajouter :

– Pourriez-vous être attentif à d'éventuelles mentions d'une certaine Katja ?

– Katja ? demanda-t-il en commençant à feuilleter les documents.

– Oui. Apparemment, une amie d'Elena.

– OK.

– Vous ne la connaissez pas ? N'avez jamais eu affaire à elle ?

– Non.

– Elle est portée disparue.

– Portée disparue ?

– Eh bien, c'est soit ça, soit une fugue. Elle était aussi russe et demandeuse d'asile et j'ai l'impression que les deux affaires sont liées.

– OK… Rien pour l'instant… Le premier document est une sorte d'attestation d'habitation en Russie. Elle a dû l'apporter avec elle pour prouver son identité.

– Ah, je vois.

Hulda était un peu déçue. Elle savait qu'elle se raccrochait aux branches, mais ces papiers étaient sa dernière chance.

– Lisez attentivement, s'il vous plaît…, ajouta-t-elle le plus poliment possible.

– Bien sûr.

Bjartur reprit sa lecture en silence, le dos tourné. Assise sur le bord de son lit, Hulda était à l'agonie. Le silence s'étira, interminable, jusqu'à ce que Bjartur émette un semblant de réaction.

– Wow…

Au ton de sa voix, il venait de trouver quelque chose d'inattendu.

– Wow…

– Quoi ?

Hulda se leva et vint regarder par-dessus son épaule. Il lisait le dernier document, rédigé à la main.

– Vous avez trouvé quelque chose ? s'enquit-elle, impatiente.

– Eh bien… mais je ne voudrais pas… encore que…

– Quoi ? Qu'est-ce que ça raconte ?

Sa voix montait dans les aigus.

– Elle parle d'un séjour à la campagne en compagnie d'une amie qu'elle appelle K. Peut-être Katja ?

– Possible, oui, possible.

Hulda sentait l'excitation la gagner. Enfin.

– Et de quelqu'un d'autre… Difficile de dire si c'est un homme ou une femme.

– Allez, dites-moi…

profiter de la vie à deux. Ils continueraient sans doute la randonnée, mais elle pourrait s'adonner à de nouveaux passe-temps. Elle était en pleine forme, elle avait besoin de rester active. Elle pourrait même reprendre le golf – le hobby de prédilection de la plupart de ses collègues. Soixante-quatre ans seulement et tant de choses à vivre encore. Avec l'aide de Pétur, elle essaierait de laisser derrière elle ses années sombres. Cela faisait longtemps que les choses ne lui étaient pas apparues aussi clairement. Elle était impatiente de rentrer à la maison se coucher et commencer sa nouvelle vie au lever du soleil. Une nouvelle vie avec Pétur.

21

Au bout d'un moment, il chercha à l'aveuglette une des lampes frontales sur la table et l'alluma. Puis il baissa les yeux, la vit, et tenta de réaliser ce qu'il avait fait. Il était amoureux de cette femme, et à présent, elle gisait à ses pieds, morte. Il l'avait tuée. Quelle chose étrange.

Il allait devoir se tirer de cette situation. Réfléchir avec logique. Empêcher le sang de trop couler sur le plancher de la cabane.

Réfléchir. Le point le plus important, c'était que personne n'était au courant de leur excursion. Et personne ne viendrait les chercher ici, ou fouiller la cabane à la recherche d'indices.

Il faisait encore sombre, il avait tout son temps. Il devait juste garder la tête froide et procéder avec méthode.

C'était la première fois qu'il tuait quelqu'un, et à vrai dire, ça avait été d'une facilité déconcertante.

22

– Je crois qu'on est sur la bonne voie, dit Bjartur. Voilà la vallée dont parle Elena. Je ne savais pas qu'il y avait des bâtiments ici, mais il faut dire que ça fait longtemps que je ne suis pas venu dans le coin.

– Êtes-vous sûre qu'on devrait y aller ? Je n'ai pas vraiment l'habitude, disons… de traquer un tueur.

– On ne va pas faire demi-tour maintenant, répondit Hulda. Ça va aller. Je ne crois pas une minute que nous soyons en danger. C'est bien la bonne direction ? On continue vers la vallée ?

La route se réduisait à une piste de graviers, et le revêtement se dégradait toujours un peu plus au fil des kilomètres.

– Oui, c'est ça.

Tout en continuant leur progression cahoteuse, Hulda avait une pensée pour sa Skoda et se demandait, anxieuse, si elle supporterait les nids-de-poule. Mais d'autres préoccupations monopolisaient son esprit : le mort à l'hôpital, la mère en route pour la prison, les répercussions tragiques de cet incident pour elle-même et la façon spectaculaire dont elle avait tout foutu en l'air en à peine une semaine. Elena disparaissait peu à peu au loin, supplantée par ses angoisses.

C'était une belle soirée, le soleil était bas dans un ciel presque sans nuages et un bosquet de jeunes arbres récemment plantés jetait ses ombres allongées sur l'herbe pâle de la vallée. Les versants devaient encore verdir car le printemps n'était pas aussi avancé dans la région que plus bas, en ville. Pendant un instant, contemplant l'immensité de ces espaces et du ciel bleu, Hulda éprouva une sensation de liberté, un potentiel sans limites. Mais, sa lassitude revint l'assaillir aussitôt ; elle aurait tout donné pour savourer la météo ailleurs, si possible devant le jardin de Pétur, à Fossvogur.

– Peut-être qu'on devrait s'en tenir là, marmonna-t-elle après cinq minutes de tape-cul supplémentaires.

– Je suis d'accord, dit Bjartur. Il y a un endroit pour faire demi-tour dans une centaine de mètres…

Mais juste après, il s'exclama d'un ton triomphal :

– La maison ! Regardez ce bâtiment ! C'est nouveau. Ça n'était pas là la dernière fois que je suis venu.

Hulda ralentit et suivit du regard l'index tendu de Bjartur.

– Vous ne voulez pas qu'on aille voir ? Je parie que c'est la maison dont parle Elena.

– Allons-y.

« Maison » était un bien grand mot. En s'approchant, ils se retrouvèrent plutôt devant une cabane primitive à côté de ce qui s'apparentait à un chantier. Si personne ne semblait y travailler actuellement, il était clair qu'il s'agissait des fondations pour une maison plus vaste en cours de construction. Hulda gara la Skoda devant la cabane et, par habitude, scruta du regard les environs avant de descendre. Personne n'aurait pu se cacher dans ce paysage de plaine herbeuse éclairé par la lumière de cette nuit d'été. La seule cachette potentielle était la cabane elle-même.

Hulda croisa le regard de Bjartur.

– Il n'y a rien ici.

– On pourrait quand même aller voir à l'intérieur ?

– On n'a pas de mandat, objecta-elle.

En même temps, elle avait cruellement envie d'enfreindre les règles. Au fond, qu'est-ce qu'elle avait à perdre ? Surtout qu'ils étaient enfin arrivés à destination…

– On peut toujours regarder par les fenêtres, suggéra Bjartur.

Hulda haussa les épaules. Elle ne pouvait pas l'en empêcher.

Il fit un rapide tour de la cabane en jetant un coup d'œil par chaque fenêtre puis, sans prévenir, il essaya la poignée de la porte. Qui s'ouvrit.

– Ce n'est pas fermé ! cria-t-il.

Et avant qu'elle puisse réagir, il entra.

– Oh, et puis merde…, grommela Hulda.

Sans se presser, elle le suivit. Après tout, si quelqu'un découvrait qu'elle était entrée par effraction, elle ne pourrait pas se faire renvoyer deux fois.

Quand elle pénétra dans la cabane, elle sentit son cœur s'emballer – la poussée familière d'adrénaline. Son cerveau sortit brusquement de sa torpeur. La remarque furtive d'Amena, celle qui lui échappait depuis plusieurs heures, lui revint dans un flash. La veille de sa mort, Elena avait passé la soirée au téléphone à la réception du foyer. Or, Hulda se le rappelait maintenant, le réceptionniste lu avait expliqué que les numéros internationaux étaient bloqués. Et Elena ne parlait vraiment que le russe. Était-il possible que son interlocuteur ait été Bjartur ?

Bjartur.

Où était-il passé, celui-là ? Elle ne le voyait nulle part dans la minuscule cabane. Elle s'apprêtait à inspecter les lieux quand elle sentit un violent coup s'abattre sur son crâne.

23

Il mit du temps à nettoyer la cabane, ralenti par l'obscurité. Il prévoyait de revenir dès que possible avec des produits d'entretien plus puissants pour essayer d'effacer les dernières traces. Il se sentait étrangement détaché, comme si c'était un autre homme qui avait frappé Katja en pleine tête avec le piolet et qu'il devait nettoyer derrière lui. D'une certaine façon, il était triste pour elle, et en même temps, furieux. Pourquoi s'était-elle comportée de façon aussi absurde ? Elle ne méritait pas de mourir, mais compte tenu des circonstances, il avait réagi de la seule façon possible.

Un coup d'œil au livre d'or de la cabane lui confirma qu'à cette époque de l'année, plusieurs journées, voire semaines, s'écoulaient entre deux visites. Il devrait s'en tirer sans problème s'il revenait le soir même.

Dans l'immédiat, la priorité, c'était de se débarrasser du corps.

Il l'avait remise dans son sac de couchage, avait tiré la fermeture Éclair puis l'avait traînée jusqu'à sa voiture, certain que les flocons de neige effaceraient rapidement ses traces. Dans l'obscurité qui précède l'aurore, au milieu de l'hiver, loin de toute civilisation, il avait bon espoir de pouvoir agir sans être vu ou interrompu. Un problème demeurait : faire disparaître le cadavre.

Il connaissait un endroit plein de crevasses qui ferait parfaitement l'affaire. Impossible d'y accéder en voiture, mais avec cette neige, il suffisait de chausser les skis. L'été, quand les glaciers grouillaient de touristes, une telle expédition n'aurait pas été envisageable, mais à cette époque de l'année, il pouvait prendre le risque. Il se mit en route vers ce lieu où Katja disparaîtrait à jamais.

24

Hulda avait trop longtemps fermé les yeux devant la vérité. Et cela faisait un quart de siècle qu'elle vivait avec les conséquences désastreuses de cette attitude. Elle n'était pas certaine du moment où elle en avait pris conscience, mais il était déjà trop tard. Elle mettait cela sur le compte de son propre déni et de son aveuglement face à ce qui se passait sous son nez. L'atroce ironie de la situation ne lui échappait pas : elle qui, de par ses qualités intuitives, passait pour l'un des meilleurs éléments de la police, elle à qui rien n'échappait jamais, qui avait le don de déceler les mensonges bien avant ses collègues…

Et quand le crime s'était déroulé sous son propre toit, elle n'avait rien remarqué.

Ou rien voulu remarquer.

Regarder les choses en face était impensable. Elle avait aimé Jón pendant la majeure partie de sa vie adulte ; ils s'étaient mariés jeunes et il l'avait toujours bien traitée. Un époux honnête et digne de confiance. Leur amour avait grandi et prospéré pendant un temps du moins –, un amour sincère. La première année de leur relation, elle avait été éblouie par cet homme si beau, si suave, qui avait l'air si courtois et rompu aux usages du monde. Il n'avait été que trop facile de passer sur certains signes, ou de se convaincre qu'ils avaient un tout autre sens.

À la naissance de Dimma, ils étaient si fiers ! Des parents comblés. Mais quand leur fille avait eu dix ans, son tempérament avait changé radicalement : elle était devenue caractérielle, renfermée, sujette à des phases dépressives. Et Hulda n'avait pas compris. Elle s'était payé le luxe de vivre dans l'ignorance, se persuadant que la cause de ce comportement ne pouvait se trouver dans sa maison.

Naturellement, elle avait essayé de discuter avec Dimma. Elle lui avait demandé pourquoi elle se sentait si mal, si quelque chose la bouleversait, mais sa fille refusait de répondre à ses questions, déterminée à souffrir en silence. Hulda s'était même demandé, comble du ridicule, si le choix de ce prénom, si inhabituel ne l'avait pas condamnée dès la naissance – Dimma, l'obscurité. Dans ses moments de lucidité, elle reconnaissait l'absurdité d'une telle hypothèse. C'était la poésie, la beauté du nom qui les avait décidés.

Aujourd'hui, Hulda regrettait de n'avoir pas insisté davantage auprès de sa fille. De n'avoir pas exigé de réponses. Coincée dans un dilemme désespéré, Dimma sombrait chaque jour un peu plus dans l'abysse.

Dans les semaines qui avaient précédé le suicide de Dimma, à seulement treize ans, Hulda avait eu des nuits de plus en plus agitées, comme si elle pressentait le désastre. Malgré tout, elle n'avait pas réussi à intervenir, à déployer la force nécessaire pour sauver la vie de sa fille.

À la minute où elle vit la réaction de Jón à la mort de Dimma, la vérité la frappa de plein fouet. Elle n'eut pas besoin de poser la question. Du jour au lendemain, tout son univers s'était métamorphosé. Cependant, pour une raison incompréhensible, ils s'étaient mis à jouer la comédie, préservant les apparences pour le monde extérieur alors que leur couple venait d'exploser. Peut-être avait-elle préféré s'épargner les répercussions d'une confrontation directe avec Jón, redoutant de se retrouver complice de son terrible crime. Elle entendait déjà les langues se délier, les gens murmurer qu'elle était forcément au courant, qu'elle aurait dû faire quelque chose, l'empêcher d'agir et sauver sa fille… Sauver la vie de Dimma. Le pire était que ces accusations auraient toutes recélé un fond de vérité. Aussi n'avait-elle rien dit à cet homme qui avait tant compté pour elle. Elle ne lui avait jamais demandé ce qu'il avait fait à sa fille, qu'elle aimait plus que la vie. Elle ne voulait pas savoir depuis combien de temps il abusait d'elle. Mais une chose était sûre : c'était à cause de cela qu'elle s'était suicidée. Dimma avait mis fin à ses jours, mais Jón portait l'entière responsabilité de sa mort.

En outre, Hulda ne supportait pas l'idée d'entendre le moindre détail, de se représenter la moindre image des actes répugnants qu'il avait fait subir à sa fille.

Quand Dimma était morte, quelque chose était mort en Hulda. Au plus profond de ses souffrances, quand le chagrin semblait insurmontable, les jours où elle se sentait coupable de ce qui était arrivé – jours innombrables, nuits innombrables sans sommeil –, la seule chose qui la maintenait en vie était sa haine viscérale de Jón.

Ils ne reparlèrent plus jamais de leur fille, ne mentionnèrent plus jamais son nom. Hulda ne pouvait se résoudre à parler d'elle en présence de cet étranger, de ce… monstre. Et Jón eut toujours la présence d'esprit de ne pas évoquer Dimma en présence de Hulda.

25

Hulda mit un certain temps à reprendre connaissance. Au début, elle ne se rappelait pas ce qui lui était arrivé, ni où elle se trouvait, ni avec qui. Mais quand la mémoire lui revint et qu'elle essaya d'ouvrir les yeux, un terrible mal de tête la foudroya.

Elle était étendue quelque part. Au-dessus d'elle, le ciel clair de la nuit, mais aussi… était-ce de la terre ? Où était-elle ?

Elle referma les yeux. Seigneur, son crâne allait se fendre en deux… Il l'avait frappée. Bjartur l'avait frappée en pleine tête. Entrouvrant les paupières, elle s'aperçut avec horreur et incrédulité qu'elle se trouvait au fond d'une tranchée de fondation du chantier.

Alors, elle vit Bjartur, une bêche à la main.

Elle tenta de crier, mais dès qu'elle ouvrit la bouche, celle-ci se remplit de sable. Elle recracha tout ce qu'elle put et un râle sortit de ses lèvres craquelées :

– Qu'est-ce que vous foutez ?

Bjartur sourit. Il était d'un calme effrayant.

– De vous à moi, je ne pensais pas que vous reprendriez connaissance, dit-il lentement. Bah, vous pouvez crier tant que vous voudrez : on est seuls ici. Cet endroit appartient à ami. Je l'aide à construire sa maison de vacances.

Elle remua pour essayer de s'asseoir : rien à faire.

– Je vous ai quand même ligotée, juste pour être sûr.

Il lança une pelletée bien tassée sur elle. La terre se répandit lourdement sur son torse et son visage. Hulda avait fermé les paupières, instinctivement. Quand elle les rouvrit, la terre lui brûlait les yeux.

– Putain, qu'est-ce que vous foutez ? rugit-elle, sa peur momentanément supplantée par sa fureur.

– Je vous enterre dans les fondations. Je vous fais disparaître. Sous la maison.

Son esprit s'agitait en tous sens. Elle devait gagner du temps.

– Je pourrais… je pourrais boire un peu d'eau ?

– De l'eau ?

Il réfléchit.

– Non. Ça ne servirait à rien. Tout ça, c'est de votre faute, vous savez ? Vous n'auriez jamais dû venir fouiner, m'interroger sur Katja… Personne n'avait fait le rapprochement entre elle, Elena et moi. Je ne peux prendre aucun risque. Vous devez sûrement comprendre ça ?

– Vous voulez dire que… vous allez me tuer ?

– Je vais vous enterrer. À la suite de quoi, vraisemblablement, vous allez mourir.

Son cœur se mit à marteler sa cage thoracique. Elle essaya de se libérer, mais parvint juste à se tortiller d'un côté, puis de l'autre. Bjartur posa le bout de sa bêche contre son torse et appuya avec force.

– Du calme !

– C'est… c'est comme ça que vous vous êtes débarrassé de Katja ?

Continuer à le faire parler, à tout prix.

– En quelque sorte. Mais elle est… ailleurs.

– Où ?

– Je crois que ça ne vous regarde pas. D'un autre côté, vous ne risquez pas d'en parler à quelqu'un… Disons que là où elle est, elle a plus froid que vous.

Il eut un large sourire.

– Elle aussi, je l'ai emmenée en randonnée, mais les circonstances étaient très différentes. Vous voyez, j'étais amoureux d'elle, et elle le savait. Je croyais que cette excursion marquerait le début de notre relation, mais elle ne voyait pas les choses de la même façon et… bah, ce qui est fait est fait.

Hulda luttait pour contrôler sa respiration, pour repousser la panique qui menaçait de la submerger et d'empêcher son cerveau de fonctionner. Il fallait qu'elle garde les idées claires pour trouver un moyen de s'en sortir. Le convaincre. Gagner du temps et faire durer la conversation. Tout était bon pour tenir loin de son esprit la perspective d'être enterrée vivante.

– Et c'est vous qui avez tué Elena. Je me trompe ?

Elle avait réussi à maîtriser sa voix.

– Vous avez eu une longue conversation au téléphone un soir, avant qu'elle ne disparaisse. Vous ne m'en avez jamais parlé…

– Elena… Elle avait compris.

Bjartur avait recommencé à ensevelir Hulda mais s'interrompit à nouveau, la bêche plantée dans le sol.

– Elle était la seule personne à savoir que nous étions bons amis, Katja et moi. Elle n'arrêtait pas de me demander ce qui lui était arrivé. Au début, je mentais, je disais que j'avais aidé Katja à semer les autorités, qu'elle se cachait quelque part à la campagne. Mais Elena continuait d'insister pour la voir… Et puis, elle m'a appelé, le soir… de sa mort. Elle menaçait d'aller tout raconter à la police. J'ai essayé de l'en dissuader. Je devais l'arrêter, vous comprenez ?

Hulda hocha la tête.

– Je lui ai proposé de me retrouver le soir même pour discuter de tout ça au bord de la mer. Elle n'avait aucune raison de se méfier de moi.

26

– Il faut que je voie Katja ! s'exclama Elena au téléphone. Il le faut !

– C'est impossible.

Bjartur était assis dans son garage, ou plutôt dans le garage de ses parents. Il passait un mois difficile : trop peu de traductions et pas assez de motivation pour travailler à son propre livre. Et puis, l'incident dans les montagnes le tourmentait. Il se le repassait sans cesse, ce moment où il avait été obligé de tuer la femme qu'il aimait. Katja, venue en Islande pour demander l'asile ; Katja qu'il avait rencontrée quand il lui avait servi d'interprète. Dès le début, ils s'étaient si bien entendus. Du moins le croyait-il. Elle était magnifique. Comme elle ne parlait pas un mot d'anglais, elle lui avait souvent demandé son aide, et de temps à autre, ils finissaient par passer la soirée à discuter. Ils avaient des points communs, l'amour de la nature et de la littérature russe. Il avait toujours eu des difficultés à adresser la parole aux femmes, aux Islandaises en tout cas. À plus de quarante ans, il s'était à peu près résigné à son statut de célibataire, mais Katja était entrée dans sa vie. Il s'était mis à rêver : il allait l'épouser, ce qui lui accorderait automatiquement un permis de séjour… Peut-être pourrait-il partir de chez ses parents, ou emménager sous leur toit avec Katja après les avoir envoyés en maison de retraite… Dans sa tête, il avait déjà planifié leur avenir. Il attendait juste le bon moment, convaincu que Katja partageait ses sentiments. Qu'elle l'aimait. Et puis, elle avait lâché au cours d'une de leurs conversations qu'elle avait envie de sortir un peu de la ville. Il avait tout de suite saisi la perche, conscient qu'une occasion s'offrait à lui. Il l'emmènerait dans la vallée, ils dormiraient dans une cabane de montagne… Et c'est là, coupés du monde, seuls tous les deux, que leur histoire commencerait.

Mais les choses avaient pris une tournure bien différente. Il avait fini par être obligé de la tuer. Bien sûr, ce n'était pas ce qu'il voulait, mais on n'a pas toujours le choix.

Comme pour Elena. Il avait été forcé de la faire disparaître, elle aussi. Elle demandait sans cesse après Katja et il avait dû inventer un mensonge : il avait aidé Katja à fuir et à se cacher ; elle avait appris qu'elle avait peu de chances d'obtenir un permis de séjour et elle avait paniqué. Bien sûr, ce n'était pas vrai non plus, mais il lui fallait bien une explication plausible pour expliquer sa fuite. Elena ne l'avait pas mise en doute.

Il avait prié pour qu'Elena soit rapidement expulsée dans son pays et qu'il n'entende plus parler d'elle, pour que la vérité sur le sort de Katja n'éclate jamais. La police avait bien lancé des recherches, mais personne n'était au courant de leur petite excursion dans les montagnes et personne – sauf Elena – ne savait que Katja s'entendait si bien avec Bjartur. Du moins, jusqu'à cette nuit dans la cabane. Mais un jour, Elena l'avait appelé. On lui avait dit – pour autant qu'elle avait compris, avec son anglais limité – que sa demande d'asile avait été acceptée.

Le coup de fil l'avait fait paniquer : elle voulait voir Katja, lui annoncer ce qui lui arrivait et la persuader de quitter sa cachette afin qu'elles commencent ensemble une nouvelle vie en Islande.

– Il faut que je la voie, insistait-elle. Vous êtes la seule personne qui peut m'aider. Dites-moi où elle est, je n'en parlerai à personne. Je veux juste la voir, lui parler…

– On ne peut pas prendre de risque.

Silence à l'autre bout du fil.

– Si c'est ça, je vais en parler à la police.

– À la police ?

– Oui. Je vais leur dire que vous l'avez aidée à s'enfuir. Si les flics vous interrogent, vous serez obligé de leur dire la vérité. Et là, elle pourra avoir une chance, vous comprenez ? Une chance de décrocher son permis de séjour. Mais elle doit d'abord sortir de sa cachette !

De nouveau, le silence. Cette discussion durait depuis si longtemps… Bjartur avait les nerfs en charpie. Épuisé d'avoir à mentir. Et à présent, il avait peur.

Il ne pouvait pas finir en prison. Impossible. Son meurtre ne devait pas être découvert. Il avait enfoui le cadavre au fond d'une crevasse et fait le maximum pour nettoyer toutes les traces dans la cabane. Et puis personne, pas une âme, ne savait qu'ils s'étaient trouvés là. Il s'en était tiré sans encombre. Jusqu'à ce que cette salope d'Elena décide de tout foutre en l'air…

– OK, dit-il.

– OK ? répéta Elena, manifestement surprise. Vous voulez que j'aille parler aux flics ?

– Non. Je vais vous dire où elle est. À moins que vous préfériez venir la voir avec moi ce soir ?

– Quoi ? Sérieusement ? Bien sûr que je préfère !

– Je suis certain que ça lui fera plaisir. C'est un grand jour, vous avez de bonnes nouvelles… D'accord, je vous y emmène.

Alors qu'il parlait, le mécanisme se mettait en branle dans son esprit. Il venait de trouver l'endroit parfait : cette petite crique à Flekkuvík, à mi-chemin entre Reykjavík et Keflavík. C'était une région qu'il connaissait bien : grâce à son travail de guide touristique, la géographie de son pays n'avait aucun secret pour lui, que ce soit par expérience personnelle ou à travers ses lectures. L'avantage de cette crique était que, malgré sa situation à un quart d'heure de route de Njardvík, aucune habitation et aucune route ne la surplombaient. Ils seraient les seules personnes dans le coin puisqu'elle n'était même pas accessible en voiture. Il devrait se garer et ils parcourraient à pied les cent derniers mètres.

– Vous pouvez venir me chercher ? demanda Elena.

– Hum… pas devant le foyer. Vous comprenez, à cause de Katja, je ne peux pas prendre le risque d'être vu.

Il indiqua à Elena un magasin et lui demanda de le retrouver là.

– C'est tellement loin, se plaignait Elena en claquant des dents.

Même si le sol n'était pas recouvert de neige, il faisait un froid glacial et elle ne portait pas de vêtements adaptés. Et puis, elle ne pouvait pas s'en empêcher. Bjartur ouvrait la voie vers la crique. Devant eux, on distinguait quelques bâtiments, difficiles à identifier dans la pénombre.

– Elle est dans cette maison, là-bas. Celle qui est le plus près de la mer.

– Vraiment ? Katja est là ?

– Personne n'aurait l'idée de la chercher là.

– Incroyable… Vous voulez dire qu'elle vit là depuis tout ce temps ?

– Au début, elle est restée un peu chez moi.

Il s'efforça de mettre de la chaleur dans sa voix. L'espace d'un instant, il crut presque à ce qu'il disait, songeant à son rêve d'épouser Katja et de l'amener vivre chez lui.

– Mais c'était trop risqué, reprit-il. Je vis avec mes vieux parents, ils l'auraient découverte tôt ou tard.

– Je vois.

Il ne voyait pas son expression dans l'obscurité. Était-elle vraiment convaincue ?

– Je suis sûre qu'elle aussi va recevoir son permis de séjour, annonça Elena après un moment. Nos situations ne sont pas si différentes.

– En effet, en effet…

– Mais c'est dommage qu'elle se soit enfuie comme ça. C'était votre idée ?

Sa voix s'était faite accusatrice.

– Mon idée ? Bien sûr que non, s'insurgea Bjartur. J'ai tout fait pour la dissuader.

– Elle est au courant ? Qu'on vient, je veux dire ?

– Non. Elle n'a pas de téléphone.

Elena resta silencieuse. Elle ne reprit la parole qu'en approchant de la maison.

– Vous savez quoi, Bjartur ? C'est bizarre. Personne ne peut vivre ici : il n'y a pas de vitre aux fenêtres. Ces maisons sont vides.

– Ne soyez pas stupide. Je vous assure qu'elle est ici.

Elena se tourna vers lui et il vit l'éclat du soupçon dans ses yeux.

– Vous me mentez ?

Seule avec lui dans le froid et le noir, elle se sentit soudain envahie par la peur.

Bjartur s'arrêta. En l'absence du moindre souffle de vent, le murmure des vagues était hypnotisant. Il la dévisagea. Elle ne pouvait plus lui échapper.

– Vous me mentez ? Pourquoi vous me mentez ?

Elle haussa la voix, soudain stridente et vibrante.

– Où est Katja ?

Elle se mit à reculer. Bjartur ne bougea pas.

Puis elle se retourna et courut dans la nuit.

Il ne mit pas longtemps à la rattraper. Il la jeta au sol, attrapa une pierre et la frappa à la tête. Elle perdit connaissance. Morte ? Sans doute. Il crut déceler un pouls.

Il la prit dans ses bras, transporta son corps inerte en bas de la crique, trébuchant une ou deux fois dans le noir. Puis il étendit Elena sur le ventre et plaça son visage dans l'eau salée, où il le maintint aussi longtemps que nécessaire.

27

– Vous voulez dire qu'il n'y avait rien… rien du tout dans les documents que je vous ai apportés ?

Hulda réfléchissait à toute vitesse, déterminée à tout faire pour alimenter la conversation.

Bjartur rit.

– Rien d'intéressant, non ! Quand vous avez parlé de Katja, j'ai dû réagir tout de suite, trouver une excuse pour vous attirer loin de la ville… Il fallait que je vous élimine. Il n'y a pas d'alternative.

Hulda jura en silence. Cette journée s'était transformée en un pur cauchemar. Toutes ses erreurs revenaient la hanter : les aveux d'Emma, l'homme tué à l'hôpital, l'arrestation d'Aki… Elle n'aurait jamais dû sortir de son lit. En temps normal, pensa-t-elle, elle aurait été beaucoup plus prompte à flairer le danger, mais ses préoccupations avaient brouillé son instinct.

– Par pitié, donnez-moi un peu d'eau…, supplia-t-elle, haletante, même si demander quoi que ce soit à cet homme semblait aller contre toute logique.

– Plus tard, répondit-il, mais elle ne le crut qu'à moitié.

– Est-ce qu'elles travaillaient comme prostituées, toutes les deux ?

Bjartur éclata de rire.

– Bien sûr que non ! Aucune des deux ! C'étaient des gentilles filles. Surtout Katja. Elle était adorable.

– Mais alors…

Hulda venait de comprendre, bien trop tard, que Bjartur l'avait trompée, lancée sur une fausse piste dès le début de son enquête.

– J'étais tellement choqué quand je vous ai vue devant ma porte. J'avais mis toute cette histoire derrière moi, je croyais le dossier clos depuis une éternité… Je ne pensais qu'à une chose : trouver un moyen de vous détourner de moi… et cette trouvaille m'est venue : vous raconter qu'Elena faisait la pute. Et ça a plutôt bien marché, non ? Je vous ai complètement baladée.

Hulda cligna des yeux pour faire tomber la terre. Quand elle vit plus clair, elle constata que Bjartur souriait d'un air absent.

La terreur lui broyait le cœur, mais elle ne devait pas la laisser la paralyser. Un instant, elle redevint cette enfant enfermée dans l'horrible placard par sa grand-mère. Elle referma les paupières, se concentra sur l'oiseau qu'elle entendait chanter. Sûrement, quelqu'un allait surgir et la sauver. Même s'il était plus de minuit, quelqu'un traînait forcément dans les parages. Ou alors Bjartur changerait d'avis. Peut-être qu'il cherchait juste à lui faire peur… Mais à chaque seconde qui passait, ses espoirs s'amenuisaient.

– Vous n'allez pas vous en tirer ! lui lança-t-elle, mais elle n'était pas convaincante.

Même pour elle.

– Je me suis déjà tiré de deux meurtres. Je commence à être habitué. Et je vais faire ce qu'il faut pour qu'on ne vous retrouve jamais. On coule la dalle de béton cette semaine.

– Mais…

Elle pensa tout de suite à son téléphone. Il était certainement possible de la localiser, de retrouver sa trace, même si c'était trop tard pour la sauver…

Cette fois encore, il avait lu dans ses pensées.

– Ça fait plusieurs heures que je me suis occupé de votre téléphone. Vous vous souvenez, quand vous me l'avez prêté et que j'ai fait semblant d'appeler mon père ? J'ai retiré la batterie.

– Il y a aussi ma voiture.

– Ça, c'est un peu plus compliqué, je vous l'accorde. Mais je m'en débarrasserai. En la lançant du haut d'une falaise dans la mer… Ensuite, je m'arrangerai pour rentrer en ville. Et puis personne ne va s'intéresser à mes déplacements : je n'ai jamais été suspect dans cette affaire. Ne vous en faites pas, je vais encore m'en tirer cette fois-ci.

Et il reprit son pelletage.

28

L'avantage de l'obscurité, c'est qu'elle ne connaît pas l'ombre.

Hulda ferma les paupières.

Elle décida de cesser de se battre. De s'avouer vaincue.

La sensation de claustrophobie était suffocante, terrifiante, indescriptible, et pourtant, dès qu'elle se fut résignée à l'inévitable, dès qu'elle comprit que personne ne viendrait l'aider et qu'elle vivait les derniers instants de son existence, elle éprouva une étrange impression de paix. Elle n'aurait jamais à subir l'humiliation d'un procès pour faute professionnelle. Après sa mort, elle ne doutait pas que Magnus abandonnerait les poursuites. Ses pensées s'attardèrent sur Pétur. Il l'attendait. Il avait peut-être tenté de l'appeler. Il l'attendrait pour toujours, désormais.

Son visage était presque entièrement recouvert par la terre.

Plus que tout, la mort était une bénédiction en ce qu'elle lui offrait une issue. Elle mettait un terme définitif à ses cauchemars. L'absolution longtemps désirée. La paix. Depuis plus de vingt ans, Hulda essayait d'expier la faute qu'elle avait commise, qui lui pesait tant sur la conscience, en montrant de la compréhension et de l'empathie envers les coupables. Cette attitude l'avait parfois conduite à franchir la ligne rouge, comme avec Emma. Cette femme était une criminelle, elle avait renversé un pédophile, mais Hulda ne comprenait que trop bien son geste.

Elle ne savait pas combien de temps il lui restait à vivre. Sans doute une poignée de secondes.

À cet instant, elle aurait presque voulu croire à une force supérieure. Elle avait fréquenté régulièrement les églises avec ses grands-parents, quand elle était enfant. Mais après la mort de sa fille, les derniers vestiges de sa foi avaient disparu en elle.

Elle repensa à Jón et à Dimma.

À une époque, elle n'avait aimé personne au monde autant qu'eux, son époux et sa fille. Mais, lorsqu'elle avait découvert les actes cruels infligés par Jón à Dimma, cet amour s'était mué en haine. D'un seul coup, elle les avait perdus tous les deux : Dimma s'était suicidée, Jón s'était transformé en monstre. Sa haine avait grandi et enflé chaque jour, jusqu'à déferler en une rage incontrôlable. Ce qu'il avait fait était impardonnable, mais il vivait toujours et Dimma n'était plus. Chaque fois que Hulda le voyait, elle pensait à sa fille. Dimma était morte, elle n'avait pas su la sauver ; pourtant, son amour de mère la remplissait, plus fort encore que lorsque l'enfant était en vie.

Elle devait effacer Jón de son existence. Mais divorcer n'aurait pas suffi et elle ne voulait pas traîner sa famille dans une enquête judiciaire pour abus sexuels. C'était hors de question. Non, elle voulait que tout reste lisse en surface, mais Jón devait partir. Payer pour son crime atroce.

De fait, cela s'était révélé assez facile. Jón souffrait d'une faiblesse cardiaque, mais avec les bons médicaments, il aurait pu vivre jusqu'à un âge avancé. Hulda avait remplacé ses pilules par des placébos, puis attendu que cela fasse effet ; qu'il finisse un beau jour par s'assoupir, pour ne jamais se réveiller.

Oui, elle savait que ce qu'elle faisait était mal. Pas seulement « mal » : c'était un meurtre, pur et simple. Mais elle avait mis ses scrupules de côté, se concentrant sur la tâche à accomplir : se débarrasser de Jón. En espérant pouvoir enfin trouver une quelconque paix. Son désir de justice écrasait tout le reste ; elle devait venger la mort de sa fille. Mais, plus encore, elle ne pouvait supporter l'idée qu'il soit permis à Jón de vivre plus longtemps. Une fois son projet en tête, elle n'en avait plus démordu. Les regrets avaient surgi plus tard – trop tard.

En fin de compte, elle en eut assez d'attendre. Un jour, elle rentra déjeuner, sachant que Jón était à la maison. Elle provoqua délibérément une dispute et s'y accrocha, impitoyablement, poussant Jón dans un tel état qu'il fut pris d'un malaise cardiaque. Il tomba dans le salon, incapable de parler, incapable de crier – mais toujours vivant. Il la fixait de ses yeux implorants. Il ne pouvait pas soupçonner ce qu'elle avait fait et Hulda ne vit pas l'urgence de lui expliquer. Elle se tenait là, debout, le regardant mourir, pensant à Dimma. Elle ne ressentait rien – pas de regrets, mais pas de plaisir non plus. Puis, quand il décéda finalement, un sentiment de soulagement l'envahit : c'était enfin terminé. Elle pouvait passer à autre chose. Plus rien ne serait normal, évidemment, mais elle avait accompli son devoir.

Elle avait tué un homme qui avait commis un crime bien pire que le meurtre.

Elle le laissa, gisant sur le sol et retourna au travail. Quand elle rentra le soir, elle « trouva » le corps et appela une ambulance. Et tout fut fini.

Un homme au cœur fragile peut mourir prématurément, cela ne surprend personne. Le suicide de sa fille peu de temps auparavant l'avait profondément affecté. Aucune rumeur ne courut sur la véritable raison de la mort de Dimma, et encore moins sur les circonstances de celle de Jón. Son épouse – qui plus est, un officier de police – s'attira la sympathie de tous. Bien sûr, aucune enquête ne fut ouverte. Et bien sûr, elle s'en tira sans souci. Mais, presque toutes les nuits, Jón traversait ses rêves. Elle avait commis un meurtre sans être inquiétée, mais elle s'aperçut qu'elle ne pouvait pas vivre avec cette réalité.

Peut-être, après tout, n'était-ce que justice si la vie lui était à son tour arrachée de façon si cruelle.

Elle s'efforça de ne pas paniquer, même si la terre bouchait ses voies respiratoires à présent et l'étouffait. Elle attendait l'inéluctable en pensant à sa fille. Elle n'avait jamais quitté ses pensées, évidemment – pas vraiment –, mais désormais Hulda pouvait voir clairement son visage ; elle se sentait submergée par un amour sans bornes, mêlé d'une effrayant culpabilité. Dimma….

Bjartur s'était apparemment interrompu. Pour reprendre son souffle, sans doute. Ou bien l'avait-elle troublé en prononçant le prénom de sa fille à voix haute ?

Puis il reprit.

Les oiseaux chantèrent.

Ils ne savaient pas qu'il faisait nuit.

Épilogue

« Cela fait chaud au cœur de vous voir tous ici, en cette belle journée, pour rendre un dernier hommage à Hulda Hermannsdóttir, dit le prêtre. Bien sûr, nous ne sommes pas ici aux funérailles, à proprement parler, d'Hilda puisque son corps n'a toujours pas été retrouvé. Nous prions de tout notre cœur pour qu'elle soit quelque part, ici-bas, avec nous, toujours en vie. Partie peut-être pour une raison qu'elle seule connaît. Et peut-être devrions-nous plutôt saisir cette occasion pour célébrer la vie de Hulda, malgré la tristesse de ce moment, à bien des égards. Personne ici ne sait exactement comment s'est déroulée sa dernière journée de travail ni pourquoi elle a disparu sans laisser de traces, alors qu'elle s'apprêtait à profiter pleinement d'une longue et heureuse retraite après des années de loyaux services rendus à la police. Il va sans dire que ce cap n'est pas nécessairement facile à franchir : si certains l'attendent avec impatience, d'autres le redoutent. Nous ne savons pas comment Hulda envisageait sa retraite, ni à quoi elle pensait lors de son dernier jour, pas plus que nous ne savons où se trouve son corps à présent, mais nous pouvons être sûrs d'une chose : là où elle est, elle s'est réconciliée avec Dieu et les hommes. Hulda a accompli une carrière remarquable dans la police, gravissant rapidement les échelons et s'attirant le respect de ses collègues, jeunes officiers ou gradés chevronnés. La majeure partie de cette carrière a été consacrée à l'élucidation de crimes graves ainsi qu'au maintien de la paix et de la sécurité des citoyens. Ces dernières années, Hulda a contribué à résoudre des affaires de premier plan, soit en dirigeant directement les enquêtes, soit en travaillant dans l'ombre, loin des feux de l'actualité, avec l'humilité qui la caractérisait.

« Les collègues de Hulda se sont investis corps et âme dans les recherches lancées au printemps, et ce malgré l'absence totale d'indices quant aux lieux possibles de sa disparition. Je sais que Hulda aurait été profondément émue par leur générosité et leur désintéressement, preuves de l'affection qu'ils lui portaient. Pendant des heures, ils ont passé au peigne fin ces montagnes que Hulda connaissait par cœur. Comme vous le savez tous, elle avait une passion pour la randonnée et se définissait elle-même comme un vrai chamois. J'ai perdu le nombre exact de sommets qu'elle a gravis – elle aussi, sans aucun doute. Je vous propose donc de l'imaginer, à la veille de sa retraite, arpentant l'une de ses montagnes préférées pour fêter l'événement, lors de cette excursion qui fut sa dernière. Et consolons-nous de savoir qu'elle repose aujourd'hui au milieu de cette nature islandaise qu'elle aimait tant.

« En raison de circonstances familiales difficiles, Hulda a passé les deux premières années de sa vie dans un établissement spécialisé à Reykjavík. À l'époque, cette pratique n'avait rien d'inhabituel, et le personnel dédié sut l'entourer de tous les soins. À l'âge de deux ans, elle a été rendue à sa mère. Plus tard, toutes deux ont vécu chez ses grands-parents maternels, pour former une grande et heureuse famille. Hulda a toujours maintenu un lien très fort avec sa mère, son grand-père et sa grand-mère. Cette enfance épanouie, remplie d'amour, Hulda en a gardé les traces toute sa vie : d'une nature ouverte et avenante, elle s'entendait bien avec tout le monde. Pour autant, Hulda n'a jamais connu son père, d'origine américaine.

« Mais deux personnes occupaient la première place dans son cœur. La première était son mari Jón, rencontré très jeune. Un mariage s'est ensuivi rapidement. Heureuse décision : ce couple pouvait être décrit comme l'union de deux âmes sœurs. Hulda et Jón ont traversé toutes les épreuves sans perdre le cap. Ils partageaient nombre d'intérêts, et se complétaient à la perfection. Aucun de leurs amis n'a jamais été témoin d'une dispute entre eux. Ils se sont installés au bord de la mer, à Álftanes, une région encore rurale à l'époque, où la passion de Hulda pour la nature et les paysages islandais a sans doute trouvé sa source.

« C'est aussi là que leur fille Dimma, la prunelle de leurs yeux, est née. Élève modèle, très aimée à l'école, cette petite fille pleine de promesses faisait la fierté de ses parents. Aussi sa mort tragique à l'aube de son adolescence a-t-elle porté un coup terrible à Hulda et Jón. Ils ont fait face avec courage et stoïcisme, plus inséparables que jamais, chacun soutenant l'autre dans cette épreuve. Ils ont continué à vivre à Álftanes, et chacun a bientôt repris son travail : Hulda dans la police, Jón dans la finance. Puis, deux ans plus tard, Hulda a perdu Jón, l'autre amour de sa vie. Il souffrait d'une faiblesse cardiaque depuis plusieurs années, mais personne ne s'attendait à le voir partir si vite. Une fois encore, Hulda a dû surmonter un choc terrible, ce qu'elle a fait avec un courage inébranlable : elle a repris son chemin, affrontant la vie et continuant de s'imposer dans une profession exigeante.

« Hulda n'a jamais oublié Jón et Dimma. Et comme nous le savons tous, elle est toujours restée fidèle la foi chrétienne, convaincue qu'elle retrouverait les êtres qui lui étaient chers après la mort. Pour nous tous à qui elle manque terriblement, penser qu'elle est désormais sereine auprès de son mari et de sa fille qu'elle aimait plus que la vie même est un réconfort. Que Dieu bénisse le souvenir de Hulda Hermannsdóttir. »

Remerciements

Je remercie Haukur Eggertsson pour ses conseils à propos des expéditions en montagne et dans les terres, ainsi que la procureure Hulda María Stefánsdóttir pour ses éclaircissements sur les procédures policières.

RÉALISATION : NORD COMPO À VILLENEUVE-D'ASCQ
IMPRESSION : CPI FRANCE
DÉPÔT LÉGAL : MARS 2020. N° 142278 (3037301)
IMPRIMÉ EN FRANCE

Éditions Points

Collection Points Policier

P1042. L'Oiseau des ténèbres, *Michael Connelly*
P1048. Les Lettres mauves, *Lawrence Block*
P1060. Mort d'une héroïne rouge, *Qiu Xiaolong*
P1061. Angle mort, *Sara Paretsky*
P1070. Trompe la mort, *Lawrence Block*
P1071. V'là aut'chose, *Nancy Star*
P1072. Jusqu'au dernier, *Deon Meyer*
P1081. La Muraille invisible, *Henning Mankell*
P1087. L'Homme de ma vie, *Manuel Vázquez Montalbán*
P1088. Wonderland Avenue, *Michael Connelly*
P1089. L'Affaire Paola, *Donna Leon*
P1090. Nous n'irons plus au bal, *Michelle Spring*
P1100. Dr la Mort, *Jonathan Kellerman*
P1101. Tatouage à la fraise, *Lauren Henderson*
P1102. La Frontière, *Patrick Bard*
P1105. Blanc comme neige, *George P. Pelecanos*
P1111. Requiem pour une ombre, *Andrew Klavan*
P1122. Meurtriers sans visage, *Henning Mankell*
P1123. Taxis noirs, *John McLaren*
P1134. Tous des rats, *Barbara Seranella*
P1135. Des morts à la criée, *Ed Dee*
P1146. Ne te retourne pas !, *Karin Fossum*
P1158. Funky Guns, *George P. Pelecanos*
P1159. Les Soldats de l'aube, *Deon Meyer*
P1162. Visa pour Shanghai, *Qiu Xiaolong*
P1174. Sale temps, *Sara Paretsky*
P1175. L'Ange du Bronx, *Ed Dee*
P1187. Les Chiens de Riga, *Henning Mankell*
P1188. Le Tueur, *Eraldo Baldini*
P1189. Un silence de fer, *Marcello Fois*
P1190. La Filière du jasmin, *Denise Hamilton*
P1197. Destins volés, *Michael Pye*
P1206. Mister Candid, *Jules Hardy*
P1207. Déchaînée, *Lauren Henderson*
P1215. Tombe la pluie, *Andrew Klavan*
P1224. Le Vagabond de Holmby Park, *Herbert Lieberman*
P1225. Des amis haut placés, *Donna Leon*
P1228. Chair et Sang, *Jonathan Kellerman*
P1230. Darling Lilly, *Michael Connelly*
P1239. Je suis mort hier, *Alexandra Marinina*

P1240. Cendrillon, mon amour, *Lawrence Block*
P1242. Berlinale Blitz, *Stéphanie Benson*
P1245. Tout se paye, *George P. Pelecanos*
P1251. Le Rameau brisé, *Jonathan Kellerman*
P1256. Cartel en tête, *John McLaren*
P1271. Lumière morte, *Michael Connelly*
P1291. Le croque-mort a la vie dure, *Tim Cockey*
P1292. Pretty Boy, *Lauren Henderson*
P1306. La Lionne blanche, *Henning Mankell*
P1307. Le Styliste, *Alexandra Marinina*
P1308. Pas d'erreur sur la personne, *Ed Dee*
P1309. Le Casseur, *Walter Mosley*
P1318. L'Attrapeur d'ombres, *Patrick Bard*
P1331. Mortes-eaux, *Donna Leon*
P1332. Déviances mortelles, *Chris Mooney*
P1344. Mon vieux, *Thierry Jonquet*
P1345. Lendemains de terreur, *Lawrence Block*
P1346. Déni de justice, *Andrew Klavan*
P1347. Brûlé, *Leonard Chang*
P1359. Los Angeles River, *Michael Connelly*
P1360. Refus de mémoire, *Sarah Paretsky*
P1361. Petite musique de meurtre, *Laura Lippman*
P1372. L'Affaire du Dahlia noir, *Steve Hodel*
P1373. Premières Armes, *Faye Kellerman*
P1374. Onze jours, *Donald Harstad*
P1375. Le croque-mort préfère la bière, *Tim Cockey*
P1393. Soul Circus, *George P. Pelecanos*
P1394. La Mort au fond du canyon, *C.J. Box*
P1395. Recherchée, *Karin Alvtegen*
P1396. Disparitions à la chaîne, *Ake Smedberg*
P1407. Qu'elle repose en paix, *Jonathan Kellerman*
P1408. Le Croque-mort à tombeau ouvert, *Tim Cockey*
P1409. La Ferme des corps, *Bill Bass*
P1414. L'Âme du chasseur, *Deon Meyer*
P1417. Ne gênez pas le bourreau, *Alexandra Marinina*
P1425. Un saut dans le vide, *Ed Dee*
P1435. L'Enfant à la luge, *Chris Mooney*
P1436. Encres de Chine, *Qiu Xiaolong*
P1437. Enquête de mor(t)alité, *Gene Riehl*
P1451. L'homme qui souriait, *Henning Mankell*
P1452. Une question d'honneur, *Donna Leon*
P1453. Little Scarlet, *Walter Mosley*
P1476. Deuil interdit, *Michael Connelly*
P1493. La Dernière Note, *Jonathan Kellerman*
P1494. La Cité des Jarres, *Arnaldur Indridason*
P1495. Électre à La Havane, *Leonardo Padura*

P1496. Le croque-mort est bon vivant, *Tim Cockey*
P1497. Le Cambrioleur en maraude, *Lawrence Block*
P1539. Avant le gel, *Henning Mankell*
P1540. Code 10, *Donald Harstad*
P1541. Le Château du lac Tchou-An, *Frédéric Lenormand*
P1542. La Nuit des juges, *Frédéric Lenormand*
P1559. Hard Revolution, *George P. Pelecanos*
P1560. La Morsure du lézard, *Kirk Mitchell*
P1561. Winterkill, *C.J. Box*
P1582. Le Sens de l'arnaque, *James Swain*
P1583. L'Automne à Cuba, *Leonardo Padura*
P1597. La Preuve par le sang, *Jonathan Kellerman*
P1598. La Femme en vert, *Arnaldur Indridason*
P1599. Le Che s'est suicidé, *Petros Markaris*
P1600. Le Palais des courtisanes, *Frédéric Lenormand*
P1601. Trahie, *Karin Alvtegen*
P1602. Les Requins de Trieste, *Veit Heinichen*
P1635. La Fille de l'arnaqueur, *Ed Dee*
P1636. En plein vol, *Jan Burke*
P1637. Retour à la Grande Ombre, *Håkan Nesser*
P1660. Milenio, *Manuel Vázquez Montalbán*
P1661. Le Meilleur de nos fils, *Donna Leon*
P1662. Adios Hemingway, *Leonardo Padura*
P1678. Le Retour du professeur de danse, *Henning Mankell*
P1679. Romanzo Criminale, *Giancarlo de Cataldo*
P1680. Ciel de sang, *Steve Hamilton*
P1690. La Défense Lincoln, *Michael Connelly*
P1691. Flic à Bangkok, *Patrick Delachaux*
P1692. L'Empreinte du renard, *Moussa Konaté*
P1693. Les fleurs meurent aussi, *Lawrence Block*
P1703. Le Très Corruptible Mandarin, *Qiu Xiaolong*
P1723. Tibet or not Tibet, *Péma Dordjé*
P1724. La Malédiction des ancêtres, *Kirk Mitchell*
P1762. Le croque-mort enfonce le clou, *Tim Cockey*
P1782. Le Club des conspirateurs, *Jonathan Kellerman*
P1783. Sanglants Trophées, *C.J. Box*
P1811. – 30°, *Donald Harstad*
P1821. Funny Money, *James Swain*
P1822. J'ai tué Kennedy ou les mémoires d'un garde du corps
Manuel Vázquez Montalbán
P1823. Assassinat à Prado del Rey et autres histoires sordides
Manuel Vázquez Montalbán
P1830. La Psy, *Jonathan Kellerman*
P1831. La Voix, *Arnaldur Indridason*
P1832. Petits Meurtres entre moines, *Frédéric Lenormand*
P1833. Madame Ti mène l'enquête, *Frédéric Lenormand*

P1834. La Mémoire courte, *Louis-Ferdinand Despreez*
P1835. Les Morts du Karst, *Veit Heinichen*
P1883. Dissimulation de preuves, *Donna Leon*
P1884. Une erreur judiciaire, *Anne Holt*
P1885. Honteuse, *Karin Alvtegen*
P1886. La Mort du privé, *Michael Koryta*
P1907. Drama City, *George P. Pelecanos*
P1913. Saveurs assassines, *Kalpana Swaminathan*
P1914. La Quatrième Plaie, *Patrick Bard*
P1935. Echo Park, *Michael Connelly*
P1939. De soie et de sang, *Qiu Xiaolong*
P1940. Les Thermes, *Manuel Vázquez Montalbán*
P1941. Femme qui tombe du ciel, *Kirk Mitchell*
P1942. Passé parfait, *Leonardo Padura*
P1963. Jack l'Éventreur démasqué, *Sophie Herfort*
P1964. Chicago banlieue sud, *Sara Paretsky*
P1965. L'Illusion du péché, *Alexandra Marinina*
P1988. Double Homicide, *Faye et Jonathan Kellerman*
P1989. La Couleur du deuil, *Ravi Shankar Etteth*
P1990. Le Mur du silence, *Håkan Nesser*
P2042. 5 octobre, 23 h 33, *Donald Harstad*
P2043. La Griffe du chien, *Don Wislow*
P2044. Mort d'un cuisinier chinois, *Frédéric Lenormand*
P2056. De sang et d'ébène, *Donna Leon*
P2057. Passage du Désir, *Dominique Sylvain*
P2058. L'Absence de l'ogre, *Dominique Sylvain*
P2059. Le Labyrinthe grec, *Manuel Vázquez Montalbán*
P2060. Vents de carême, *Leonardo Padura*
P2061. Cela n'arrive jamais, *Anne Holt*
P2065. Commis d'office, *Hannelore Cayre*
P2139. La Danseuse de Mao, *Qiu Xiaolong*
P2140. L'Homme délaissé, *C.J. Box*
P2141. Les Jardins de la mort, *George P. Pelecanos*
P2142. Avril rouge, *Santiago Roncagliolo*
P2157. À genoux, *Michael Connelly*
P2158. Baka !, *Dominique Sylvain*
P2169. L'Homme du lac, *Arnaldur Indridason*
P2170. Et que justice soit faite, *Michael Koryta*
P2172. Le Noir qui marche à pied, *Louis-Ferdinand Despreez*
P2181. Mort sur liste d'attente, *Veit Heinichen*
P2189. Les Oiseaux de Bangkok, *Manuel Vázquez Montalbán*
P2215. Fureur assassine, *Jonathan Kellerman*
P2216. Misterioso, *Arne Dahl*
P2229. Brandebourg, *Henry Porter*
P2254. Meurtres en bleu marine, *C.J. Box*
P2255. Le Dresseur d'insectes, *Arni Thorarinsson*

P2256. La Saison des massacres, *Giancarlo de Cataldo*
P2271. Quatre Jours avant Noël, *Donald Harstad*
P2272. Petite Bombe noire, *Christopher Brookmyre*
P2276. Homicide special, *Miles Corwin*
P2277. Mort d'un Chinois à La Havane, *Leonardo Padura*
P2288. L'Art délicat du deuil, *Frédéric Lenormand*
P2290. Lemmer, l'invisible, *Deon Meyer*
P2291. Requiem pour une cité de verre, *Donna Leon*
P2292. La Fille du samouraï, *Dominique Sylvain*
P2296. Le Livre noir des serial killers, *Stéphane Bourgoin*
P2297. Une tombe accueillante, *Michael Koryta*
P2298. Roldán, ni mort ni vif, *Manuel Vásquez Montalbán*
P2299. Le Petit Frère, *Manuel Vásquez Montalbán*
P2321. La Malédiction du lamantin, *Moussa Konaté*
P2333. Le Transfuge, *Robert Littell*
P2354. Comédies en tout genre, *Jonathan Kellerman*
P2355. L'Athlète, *Knut Faldbakken*
P2356. Le Diable de Blind River, *Steve Hamilton*
P2381. Un mort à l'Hôtel Koryo, *James Church*
P2382. Ciels de foudre, *C. J. Box*
P2397. Le Verdict du plomb, *Michael Connelly*
P2398. Heureux au jeu, *Lawrence Block*
P2399. Corbeau à Hollywood, *Joseph Wambaugh*
P2407. Hiver arctique, *Arnaldur Indridason*
P2408. Sœurs de sang, *Dominique Sylvain*
P2426. Blonde de nuit, *Thomas Perry*
P2430. Petit Bréviaire du braqueur, *Christopher Brookmyre*
P2431. Un jour en mai, *George Pelecanos*
P2434. À l'ombre de la mort, *Veit Heinichen*
P2435. Ce que savent les morts, *Laura Lippman*
P2454. Crimes d'amour et de haine, *Faye et Jonathan Kellerman*
P2455. Publicité meurtrière, *Petros Markaris*
P2456. Le Club du crime parfait, *Andrés Trapiello*
P2457. Mort d'un maître de go, *Frédéric Lenormand*
P2492. Fakirs, *Antonin Varenne*
P2493. Madame la présidente, *Anne Holt*
P2494. Zone de tir libre, *C.J. Box*
P2513. Six heures plus tard, *Donald Harstad*
P2525. Le Cantique des innocents, *Donna Leon*
P2526. Manta Corridor, *Dominique Sylvain*
P2527. Les Sœurs, *Robert Littell*
P2528. Profileuse. Une femme sur la trace des serial killers, *Stéphane Bourgoin*
P2529. Venise sur les traces de Brunetti. 12 promenades au fil des romans de Donna Leon, *Toni Sepeda*
P2530. Les Brumes du passé, *Leonardo Padura*

P2531. Les Mers du Sud, *Manuel Vázquez Montalbán*
P2532. Funestes carambolages, *Håkan Nesser*
P2579. 13 heures, *Deon Meyer*
P2589. Dix petits démons chinois, *Frédéric Lenormand*
P2607. Les Courants fourbes du lac Tai, *Qiu Xiaolong*
P2608. Le Poisson mouillé, *Volker Kutscher*
P2609. Faux et usage de faux, *Elvin Post*
P2612. Meurtre et Obsession, *Jonathan Kellerman*
P2623. L'Épouvantail, *Michael Connelly*
P2632. Hypothermie, *Arnaldur Indridason*
P2633. La Nuit de Tomahawk, *Michael Koryta*
P2634. Les Raisons du doute, *Gianrico Carofiglio*
P2655. Mère Russie, *Robert Littell*
P2658. Le Prédateur, *C.J. Box*
P2659. Keller en cavale, *Lawrence Block*
P2680. Hiver, *Mons Kallentoft*
P2681. Habillé pour tuer, *Jonathan Kellerman*
P2682. Un festin de hyènes, *Michael Stanley*
P2692. Guide de survie d'un juge en Chine, *Frédéric Lenormand*
P2706. Donne-moi tes yeux, *Torsten Pettersson*
P2717. Un nommé Peter Karras, *George P. Pelecanos*
P2718. Haine, *Anne Holt*
P2726. Le Septième Fils, *Arni Thorarinsson*
P2740. Un espion d'hier et de demain, *Robert Littell*
P2741. L'Homme inquiet, *Henning Mankell*
P2742. La Petite Fille de ses rêves, *Donna Leon*
P2744. La Nuit sauvage, *Terri Jentz*
P2747. Eva Moreno, *Håkan Nesser*
P2748. La 7e Victime, *Alexandra Marinina*
P2749. Mauvais fils, *George P. Pelecanos*
P2751. La Femme congelée, *Jon Michelet*
P2753. Brunetti passe à table. Recettes et récits
Roberta Pianaro et Donna Leon
P2754. Les Leçons du mal, *Thomas H. Cook*
P2788. Jeux de vilains, *Jonathan Kellerman*
P2798. Les Neuf Dragons, *Michael Connelly*
P2804. Secondes noires, *Karin Fossum*
P2805. Ultimes Rituels, *Yrsa Sigurdardottir*
P2808. Frontière mouvante, *Knut Faldbakken*
P2809. Je ne porte pas mon nom, *Anna Grue*
P2810. Tueurs, *Stéphane Bourgoin*
P2811. La Nuit de Geronimo, *Dominique Sylvain*
P2823. Les Enquêtes de Brunetti, *Donna Leon*
P2825. Été, *Mons Kallentoft*
P2828. La Rivière noire, *Arnaldur Indridason*
P2841. Trois semaines pour un adieu, *C.J. Box*

P2842. Orphelins de sang, *Patrick Bard*
P2868. Automne, *Mons Kallentoft*
P2869. Du sang sur l'autel, *Thomas H. Cook*
P2870. Le Vingt et Unième Cas, *Håkan Nesser*
P2882. Tatouage, *Manuel Vázquez Montalbán*
P2897. Philby. Portrait de l'espion en jeune homme *Robert Littell*
P2920. Les Anges perdus, *Jonathan Kellerman*
P2922. Les Enquêtes d'Erlendur, *Arnaldur Indridason*
P2933. Disparues, *Chris Mooney*
P2934. La Prisonnière de la tour. Et autres nouvelles *Boris Akounine*
P2936. Le Chinois, *Henning Mankell*
P2937. La Femme au masque de chair, *Donna Leon*
P2938. Comme neige, *Jon Michelet*
P2939. Par amitié, *George P. Pelecanos*
P2963. La Mort muette, *Volker Kutscher*
P2990. Mes conversations avec les tueurs, *Stéphane Bourgoin*
P2991. Double meurtre à Borodi Lane, *Jonathan Kellerman*
P2992. Poussière tu seras, *Sam Millar*
P3002. Le Chapelet de jade, *Boris Akounine*
P3007. Printemps, *Mons Kallentoft*
P3015. La Peau de l'autre, *David Carkeet*
P3028. La Muraille de lave, *Arnaldur Indridason*
P3035. À la trace, *Deon Meyer*
P3043. Sur le fil du rasoir, *Oliver Harris*
P3051. L'Empreinte des morts, *C.J. Box*
P3052. Qui a tué l'ayatollah Kanuni ?, *Naïri Nahapétian*
P3053. Cyber China, *Qiu Xiaolong*
P3065. Frissons d'assises. L'instant où le procès bascule *Stéphane Durand-Souffland*
P3091. Les Joyaux du paradis, *Donna Leon*
P3103. Le Dernier Lapon, *Olivier Truc*
P3115. Meurtre au Comité central, *Manuel Vázquez Montalbán*
P3123. Liquidations à la grecque, *Petros Markaris*
P3124. Baltimore, *David Simon*
P3125. Je sais qui tu es, *Yrsa Sigurdardóttir*
P3141. Le Baiser de Judas, *Anna Grue*
P3142. L'Ange du matin, *Arni Thorarinsson*
P3149. Le Roi Lézard, *Dominique Sylvain*
P3161. La Faille souterraine. Et autres enquêtes *Henning Mankell*
P3162. Les Deux Premières Enquêtes cultes de Wallander : Meurtriers sans visage & Les Chiens de Riga *Henning Mankell*
P3163. Brunetti et le mauvais augure, *Donna Leon*

P3164. La Cinquième Saison, *Mons Kallentoft*
P3165. Panique sur la Grande Muraille & Le Mystère du jardin chinois, *Frédéric Lenormand*
P3166. Rouge est le sang, *Sam Millar*
P3167. L'Énigme de Flatey, *Viktor Arnar Ingólfsson*
P3168. Goldstein, *Volker Kutscher*
P3219. Guerre sale, *Dominique Sylvain*
P3220. Arab Jazz, *Karim Miské*
P3228. Avant la fin du monde, *Boris Akounine*
P3229. Au fond de ton cœur, *Torsten Pettersson*
P3234. Une belle saloperie, *Robert Littell*
P3235. Fin de course, *C.J. Box*
P3251. Étranges Rivages, *Arnaldur Indridason*
P3267. Les Tricheurs, *Jonathan Kellerman*
P3268. Dernier refrain à Ispahan, *Naïri Nahapétian*
P3279. Kind of Blue, *Miles Corwin*
P3280. La fille qui avait de la neige dans les cheveux *Ninni Schulman*
P3295. Sept pépins de grenade, *Jane Bradley*
P3296. À qui se fier ?, *Peter Spiegelman*
P3315. Techno Bobo, *Dominique Sylvain*
P3316. Première station avant l'abattoir, *Romain Slocombe*
P3317. Bien mal acquis, *Yrsa Sigurdardottir*
P3330. Le Justicier d'Athènes, *Petros Markaris*
P3331. La Solitude du manager, *Manuel Vázquez Montalbán*
P3349. 7 jours, *Deon Meyer*
P3350. Homme sans chien, *Håkan Nesser*
P3351. Dernier verre à Manhattan, *Don Winslow*
P3374. Mon parrain de Brooklyn, *Hesh Kestin*
P3389. Piégés dans le Yellowstone, *C.J. Box*
P3390. On the Brinks, *Sam Millar*
P3399. Deux veuves pour un testament, *Donna Leon*
P4004. Terminus Belz, *Emmanuel Grand*
P4005. Les Anges aquatiques, *Mons Kallentoft*
P4006. Strad, *Dominique Sylvain*
P4007. Les Chiens de Belfast, *Sam Millar*
P4008. Marée d'équinoxe, *Cilla et Rolf Börjlind*
P4050. L'Inconnue du bar, *Jonathan Kellerman*
P4051. Une disparition inquiétante, *Dror Mishani*
P4065. Thé vert et arsenic, *Frédéric Lenormand*
P4068. Pain, éducation, liberté, *Petros Markaris*
P4088. Meurtre à Tombouctou, *Moussa Konaté*
P4089. L'Empreinte massaï, *Richard Crompton*
P4093. Le Duel, *Arnaldur Indridason*
P4101. Dark Horse, *Craig Johnson*
P4102. Dragon bleu, tigre blanc, *Qiu Xiaolong*

P4114. Le garçon qui ne pleurait plus, *Ninni Schulman*
P4115. Trottoirs du crépuscule, *Karen Campbell*
P4117. Dawa, *Julien Suaudeau*
P4127. Vent froid, *C.J. Box*
P4159. Une main encombrante, *Henning Mankell*
P4160. Un été avec Kim Novak, *Håkan Nesser*
P4171. Le Détroit du Loup, *Olivier Truc*
P4188. L'Ombre des chats, *Arni Thorarinsson*
P4189. Le Gâteau mexicain, *Antonin Varenne*
P4210. La Lionne blanche & L'homme qui souriait *Henning Mankell*
P4211. Kobra, *Deon Meyer*
P4212. Point Dume, *Dan Fante*
P4224. Les Nuits de Reykjavik, *Arnaldur Indridason*
P4225. L'Inconnu du Grand Canal, *Donna Leon*
P4226. Little Bird, *Craig Johnson*
P4227. Une si jolie petite fille. Les crimes de Mary Bell *Gitta Sereny*
P4228. La Madone de Notre-Dame, *Alexis Ragougneau*
P4229. Midnight Alley, *Miles Corwin*
P4230. La Ville des morts, *Sara Gran*
P4231. Un Chinois ne ment jamais & Diplomatie en kimono *Frédéric Lenormand*
P4232. Le Passager d'Istanbul, *Joseph Kanon*
P4233. Retour à Watersbridge, *James Scott*
P4234. Petits meurtres à l'étouffée, *Noël Balen et Vanessa Barrot*
P4285. La Revanche du petit juge, *Mimmo Gangemi*
P4286. Les Écailles d'or, *Parker Bilal*
P4287. Les Loups blessés, *Christophe Molmy*
P4295. La Cabane des pendus, *Gordon Ferris*
P4305. Un type bien. Correspondance 1921-1960 *Dashiell Hammett*
P4313. Le Cannibale de Crumlin Road, *Sam Millar*
P4326. Molosses, *Craig Johnson*
P4334. Tango Parano, *Hervé Le Corre*
P4341. Un maniaque dans la ville, *Jonathan Kellerman*
P4342. Du sang sur l'arc-en-ciel, *Mike Nicol*
P4351. Au bout de la route, l'enfer, *C.J. Box*
P4352. Le garçon qui ne parlait pas, *Donna Leon*
P4353. Les Couleurs de la ville, *Liam McIlvanney*
P4363. Ombres et Soleil, *Dominique Sylvain*
P4367. La Rose d'Alexandrie, *Manuel Vázquez Montalbán*
P4393. Battues, *Antonin Varenne*
P4417. À chaque jour suffit son crime, *Stéphane Bourgoin*
P4425. Des garçons bien élevés, *Tony Parsons*

P4430. Opération Napoléon, *Arnaldur Indridason*
P4461. Épilogue meurtrier, *Petros Markaris*
P4467. En vrille, *Deon Meyer*
P4468. Le Camp des morts, *Craig Johnson*
P4476. Les Justiciers de Glasgow, *Gordon Ferris*
P4477. L'Équation du chat, *Christine Adamo*
P4482. Une contrée paisible et froide, *Clayton Lindemuth*
P4486. Brunetti entre les lignes, *Donna Leon*
P4487. Suburra, *Carlo Bonini et Giancarlo De Cataldo*
P4488. Le Pacte du petit juge, *Mimmo Gangemi*
P4516. Meurtres rituels à Imbaba, *Parker Bilal*
P4526. Snjór, *Ragnar Jónasson*
P4527. La Violence en embuscade, *Dror Mishani*
P4528. L'Archange du chaos, *Dominique Sylvain*
P4529. Évangile pour un gueux, *Alexis Ragougneau*
P4530. Baad, *Cédric Bannel*
P4531. Le Fleuve des brumes, *Valerio Varesi*
P4532. Dodgers, *Bill Beverly*
P4547. L'Innocence pervertie, *Thomas H. Cook*
P4549. Sex Beast. Sur la trace du pire tueur en série de tous les temps, *Stéphane Bourgoin*
P4560. Des petits os si propres, *Jonathan Kellerman*
P4561. Un sale hiver, *Sam Millar*
P4562. La Peine capitale, *Santiago Roncagliolo*
P4568. La crème était presque parfaite, *Noël Balen et Vanessa Barrot*
P4577. L.A. nocturne, *Miles Corwin*
P4578. Le Lagon noir, *Arnaldur Indridason*
P4585. Le Crime, *Arni Thorarinsson*
P4593. Là où vont les morts, *Liam McIlvanney*
P4602. L'Empoisonneuse d'Istanbul, *Petros Markaris*
P4611. Tous les démons sont ici, *Craig Johnson*
P4616. Lagos Lady, *Leye Adenle*
P4617. L'Affaire des coupeurs de têtes, *Moussa Konaté*
P4618. La Fiancée massaï, *Richard Crompton*
P4629. Sur les hauteurs du mont Crève-Cœur, *Thomas H. Cook*
P4640. L'Affaire Léon Sadorski, *Romain Slocombe*
P4644. Les Doutes d'Avraham, *Dror Mishani*
P4649. Brunetti en trois actes, *Donna Leon*
P4650. La Mésange et l'Ogresse, *Harold Cobert*
P4655. La Montagne rouge, *Olivier Truc*
P4656. Les Adeptes, *Ingar Johnsrud*
P4660. Tokyo Vice, *Jake Adelstein*
P4661. Mauvais Coûts, *Jacky Schwartzmann*
P4664. Divorce à la chinoise & Meurtres sur le fleuve Jaune *Frédéric Lenormand*

P4665. Il était une fois l'inspecteur Chen, *Qiu Xiaolong*
P4701. Cartel, *Don Winslow*
P4719. Les Anges sans visage, *Tony Parsons*
P4724. Rome brûle, *Carlo Bonini et Giancarlo De Cataldo*
P4730. Dans l'ombre, *Arnaldur Indridason*
P4738. La Longue Marche du juge Ti & Médecine chinoise à l'usage des assassins, *Frédéric Lenormand*
P4757. Mörk, *Ragnar Jónasson*
P4758. Kabukicho, *Dominique Sylvain*
P4759. L'Affaire Isobel Vine, *Tony Cavanaugh*
P4760. La Daronne, *Hannelore Cayre*
P4761. À vol d'oiseau, *Craig Johnson*
P4762. Abattez les grands arbres, *Christophe Guillaumot*
P4763. Kaboul Express, *Cédric Bannel*
P4771. La Maison des brouillards, *Eric Berg*
P4772. La Pension de la via Saffi, *Valerio Varesi*
P4781. Les Sœurs ennemies, *Jonathan Kellerman*
P4782. Des enfants tuent un enfant. L'affaire James Bulger *Gitta Sereny*
P4783. La Fin de l'histoire, *Luis Sepúlveda*
P4801. Les Pièges de l'exil, *Philip Kerr*
P4807. Karst, *David Humbert*
P4808. Mise à jour, *Julien Capron*
P4817. La Femme à droite sur la photo, *Valentin Musso*
P4827. Le Polar de l'été, *Luc Chomarat*
P4830. Banditsky ! Chroniques du crime organisé à Saint-Pétersbourg, *Andreï Constantinov*
P4848. L'Étoile jaune de l'inspecteur Sadorski *Romain Slocombe*
P4851. Si belle, mais si morte, *Rosa Mogliasso*
P4853. Danser dans la poussière, *Thomas H. Cook*
P4859. Missing : New York, *Don Winslow*
P4861. Minuit sur le canal San Boldo, *Donna Leon*
P4868. Justice soit-elle, *Marie Vindy*
P4881. Vulnérables, *Richard Krawiec*
P4882. La Femme de l'ombre, *Arnaldur Indridason*
P4883. L'Année du lion, *Deon Meyer*
P4884. La Chance du perdant, *Christophe Guillaumot*
P4885. Demain c'est loin, *Jacky Schwartzmann*
P4886. Les Géants, *Benoît Minville*
P4887. L'Homme de Kaboul, *Cédric Bannel*
P4907. Le Dernier des yakuzas, *Jake Adelstein*
P4918. Les Chemins de la haine, *Eva Dolan*
P4924. La Dent du serpent, *Craig Johnson*
P4925. Quelque part entre le bien et le mal, *Christophe Molmy*
P4937. Nátt, *Ragnar Jónasson*